UM NOVO MUNDO
O DESPERTAR DE UMA NOVA CONSCIÊNCIA

ECKHART TOLLE

UM NOVO MUNDO

O DESPERTAR DE UMA NOVA CONSCIÊNCIA

Título original: *A New Earth*
Copyright © 2005 por Eckhart Tolle
Copyright da tradução © 2007 por GMT Editores Ltda.
A edição original em inglês foi publicada pela Dutton,
uma divisão da Penguin USA.
This is a Namaste Publishing book.
Todos os direitos reservados.

tradução
Henrique Monteiro

preparo de originais
Valéria Inez Prest

revisão
Ana Grillo
Flávia Midori
Sérgio Bellinello Soares

projeto gráfico e diagramação
Valéria Teixeira

capa
Smith & Gilmour

adaptação de capa
Ana Paula Daudt Brandão

impressão e acabamento
Associação Religiosa Imprensa da Fé

CIP-BRASIL. CATALOGAÇÃO NA PUBLICAÇÃO
SINDICATO NACIONAL DOS EDITORES DE LIVROS, RJ

A295u Tolle, Eckhart
  Um novo mundo: o despertar de uma nova consciência /
Eckhart Tolle; tradução de Henrique Monteiro. – Rio de Janeiro:
Sextante, 2007.

  Tradução de: A new earth
  ISBN 978-85-7542-313-4

  1. Ego (Psicologia). 2. Psicanálise. I. Monteiro, Henrique.
II. Título.

07-2183
CDD 154.22
CDU 159.923.2

Todos os direitos reservados, no Brasil, por
GMT Editores Ltda.
Rua Voluntários da Pátria, 45 – 14º andar – Botafogo
22270-000 – Rio de Janeiro – RJ
Tel.: (21) 2538-4100
E-mail: atendimento@sextante.com.br
www.sextante.com.br

SUMÁRIO

CAPÍTULO UM O DESABROCHAR DA CONSCIÊNCIA HUMANA	9
Evocação	9
O propósito deste livro	12
Um distúrbio herdado	15
A nova consciência emergente	19
Espiritualidade e religião	22
A urgência da transformação	24
Um novo Céu e uma nova Terra	27
CAPÍTULO DOIS EGO: O ESTADO ATUAL DA HUMANIDADE	28
O eu ilusório	29
A voz na nossa cabeça	32
O conteúdo e a estrutura do ego	35
A identificação com as coisas	36
O anel perdido	39
A ilusão da propriedade	42
Querer: a necessidade de mais	45
A identificação com o corpo	48
Sentindo o corpo interior	50
O esquecimento do Ser	52
Do erro de Descartes ao insight de Sartre	53
A paz que excede toda a inteligência	54
CAPÍTULO TRÊS A ESSÊNCIA DO EGO	57
Queixas e ressentimentos	58
A atitude reativa e o rancor	61
Estar certo e tornar o outro errado	63

Em defesa de uma ilusão	64
Verdade: relativa ou absoluta?	65
O ego não é pessoal	68
A guerra é um modelo mental	70
Queremos paz ou conflito?	72
Além do ego: nossa verdadeira identidade	72
Todas as estruturas são instáveis	74
A necessidade do ego de se sentir superior	76
Ego e fama	77

CAPÍTULO QUATRO   INTERPRETAÇÃO DE PAPÉIS: AS MUITAS FACES DO EGO 79

Vilão, vítima, amante	80
Abandonando as definições pessoais	82
Papéis preestabelecidos	83
Papéis temporários	85
O monge com as palmas das mãos suadas	86
A felicidade como um papel versus a felicidade verdadeira	87
Paternidade e maternidade: papel ou função?	88
Sofrimento consciente	92
Paternidade e maternidade conscientes	93
Reconhecendo nossos filhos	95
Desistindo de interpretar papéis	96
O ego patológico	99
A infelicidade em segundo plano	101
O segredo da felicidade	103
Formas patológicas do ego	106
O trabalho – com e sem a influência do ego	109
O ego na doença	111
O ego coletivo	112
Prova incontestável da imortalidade	114

CAPÍTULO CINCO   O CORPO DE DOR 116

O nascimento da emoção	118
As emoções e o ego	120
O pato com mente humana	123

Carregando o passado 124
O individual e o coletivo 126
Como o corpo de dor se renova 128
Como o corpo de dor se alimenta dos pensamentos 129
Como o corpo de dor se alimenta do conflito 131
Corpos de dor densos 134
O entretenimento, a mídia e o corpo de dor 135
O corpo de dor feminino coletivo 137
Corpos de dor de países e raças 139

CAPÍTULO SEIS **A LIBERTAÇÃO** 142
A presença 144
O retorno do corpo de dor 147
O corpo de dor nas crianças 148
A infelicidade 151
Rompendo a identificação com o corpo de dor 153
"Estímulos" 156
O corpo de dor como um despertador 158
A libertação do corpo de dor 160

CAPÍTULO SETE **DESCOBRINDO QUEM SOMOS REALMENTE** 163
Quem pensamos que somos 164
A abundância 166
Conhecendo a nós mesmos e *sobre* nós mesmos 168
O caos e o propósito superior 170
O que há de bom e o que há de mau 171
Sem nos importarmos com o que acontece 173
É mesmo? 174
O ego e o momento presente 176
O paradoxo do tempo 179
Eliminando o tempo 180
O sonho e aquele que sonha 182
Superando a limitação 184
A alegria do Ser 186
Permitindo a diminuição do ego 187
No universo exterior assim como no universo interior 189

CAPÍTULO OITO A DESCOBERTA DO ESPAÇO INTERIOR 194
   A consciência dos objetos e a consciência do espaço 197
   Abaixo e acima do nível do pensamento 198
   A televisão 199
   Reconhecendo o espaço interior 202
   Você consegue ouvir o córrego na montanha? 205
   A ação correta 206
   Perceber sem nomear 207
   Quem é o sujeito da experiência? 209
   A respiração 211
   Vícios 213
   A percepção do corpo interior 215
   Espaço interior e exterior 216
   Percebendo as lacunas 219
   Perder-se para se encontrar 220
   O silêncio 221

CAPÍTULO NOVE NOSSO PROPÓSITO INTERIOR 222
   O despertar 223
   Um diálogo sobre o propósito interior 226

CAPÍTULO DEZ UMA NOVA TERRA 241
   Uma breve história da nossa vida 243
   O despertar e o movimento de retorno 244
   O despertar e o movimento de saída 248
   A consciência 250
   A ação desperta 252
   As três modalidades da ação desperta 253
   A aceitação 254
   O prazer 255
   O entusiasmo 258
   Os doadores de frequência 262
   A nova Terra não é uma utopia 264

NOTAS 266

Capítulo um

O DESABROCHAR DA CONSCIÊNCIA HUMANA

EVOCAÇÃO

Terra, 114 milhões de anos atrás, de manhã, logo após o nascer do sol: a primeira flor que aparece no planeta abre-se para receber os raios solares. Antes desse formidável acontecimento, que representa uma transformação evolucionária na vida das plantas, o globo já estivera coberto de vegetação por milhões de anos. A primeira flor provavelmente não durou muito tempo. As flores devem ter permanecido como um fenômeno raro e isolado porque talvez as condições ainda não fossem favoráveis à plena ocorrência do florescimento. Um dia, porém, um limite crítico foi alcançado e, de repente, deve ter se dado uma explosão de cores e perfumes por toda a Terra – isso é o que uma consciência observadora teria visto se estivesse presente.

Muito tempo depois, esses seres delicados e fragrantes que chamamos de flores viriam a desempenhar um papel essencial na evolução da consciência de outras espécies. Cada vez mais, os seres humanos seriam atraídos e se sentiriam fascinados por eles. É provável que as flores tenham sido a primeira coisa que a consciência da espécie humana começou a valorizar enquanto se desenvolvia, mesmo que elas não tivessem um propósito utilitário imediato, isto é, que não estivessem vinculadas de alguma maneira à sobrevivência. No decorrer dos tempos, as flores foram a fonte de inspiração de incontáveis artistas, poetas e místicos.

Jesus pede-nos que as contemplemos e que aprendamos com elas sobre como viver. Diz-se que, em determinada ocasião, Buda teria proferido um "sermão silencioso" enquanto segurava uma flor e a apreciava. Após algum tempo, um monge chamado Mahakasyapa começou a sorrir diante dos presentes. Ele teria sido o único a entender o sermão. De acordo com a lenda, aquele sorriso (isto é, a compreensão) foi transmitido às gerações seguintes por 28 mestres sucessivamente e, muito tempo depois, tornou-se a origem do zen.

Contemplar a beleza de uma flor poderia despertar os seres humanos, ainda que por um breve momento, para a beleza que constitui uma parte essencial do seu próprio ser mais profundo, sua verdadeira natureza. O início do reconhecimento da beleza foi um dos acontecimentos mais significativos na evolução da consciência da nossa espécie. Os sentimentos de alegria e amor estão ligados de modo intrínseco a isso. Sem que percebêssemos inteiramente, as flores tornaram-se uma expressão em termos de forma daquilo que é mais elevado, mais sagrado e, em última análise, informe, dentro de nós. Mais efêmeras, mais etéreas e mais delicadas do que as plantas das quais se originam, elas são como mensageiras de outra esfera, uma espécie de ponte entre o mundo das formas materiais e o informe. Elas não só exalam um perfume suave e agradável aos seres humanos, como emanam a fragrância da esfera espiritual. Se usássemos a palavra "iluminação" num sentido mais amplo do que o convencionalmente aceito, poderíamos considerá-las a iluminação das plantas.

Toda forma de vida em qualquer reino estudado pelas ciências naturais – mineral, vegetal, animal e humano – pode passar pelo processo de "iluminação". Porém, é raro isso acontecer, uma vez que significa mais do que um avanço: pressupõe uma descontinuidade no seu desenvolvimento, um salto a um patamar inteiramente diferente do Ser e, mais importante, uma diminuição da materialidade.

O que poderia ser mais pesado e mais impenetrável do que uma rocha, a mais densa de todas as formas? Ainda assim, algumas rochas passam por uma mudança na sua estrutura molecular, convertendo-se em cristais, tornando-se transparentes à luz. Há carbonos que, sob pressão e aquecimento extraordinários, viram diamantes, enquanto determinados minerais pesados se transformam em outras pedras preciosas.

Quase todos os répteis, as mais terrenas de todas as criaturas, permaneceram imutáveis por milhões de anos. Alguns deles, contudo, desenvolveram penas e asas e se transformaram em aves, desafiando assim a força da gravidade, que os dominara por tanto tempo. Não é que eles tenham apenas passado a rastejar e a caminhar melhor – esses animais transcenderam completamente a capacidade de realizar esses dois tipos de movimento.

Desde tempos imemoriais, as flores, os cristais, as pedras preciosas e as aves têm um significado especial para o espírito humano. A exemplo de todas as formas vivas, esses elementos são, é claro, manifestações temporárias da Vida subjacente, da Consciência Única. Seu significado especial e a razão pela qual despertam tamanha fascinação nos seres humanos, que possuem um grande sentimento de afinidade em relação a eles, podem ser atribuídos à sua propriedade etérea.

Como existe certo grau de *presença*, isto é, de atenção silenciosa e permanente nas percepções humanas, nossa espécie tem a faculdade de sentir a essência vital divina, a consciência, ou o espírito imutável, que há em todas as criaturas, em todas as formas de vida, reconhecendo-a como compatível com nossa própria essência. Por isso, somos capazes de amá-la como a nós mesmos. Até que isso aconteça, contudo, a maioria das pessoas vê apenas as formas exteriores, não atentando para a essência interior, da mesma maneira como não percebe sua própria essência e se identifica somente com sua forma física e psicológica.

No caso de uma flor, de uma ave, de um cristal ou de uma pedra preciosa, porém, até mesmo uma pessoa com pouca ou nenhuma presença pode perceber que essas formas contêm algo mais do que a mera existência física, sem, no entanto, saber que essa é a razão pela qual possui sentimentos de atração e afinidade em relação a elas. Por causa da sua natureza etérea, a forma obscurece o espírito que a habita até que ele atinja um grau inferior em comparação ao que ocorre com outras criaturas. A exceção a isso são todas as formas de vida recém-nascidas – bebês humanos e filhotes de cães, gatos, cordeiros, etc. Esses seres são frágeis, delicados, ainda não firmemente estabelecidos na materialidade. Uma inocência, uma doçura e uma beleza que não são deste mundo brilham por meio deles. E é por isso que encantam até mesmo pessoas de pouca sensibilidade.

Desse modo, quando estamos atentos e contemplamos uma flor, uma ave ou um cristal sem nomeá-los mentalmente, eles se transformam numa janela para o que não tem forma. Surge uma abertura interna, ainda que quase imperceptível, para o domínio espiritual. É por isso que, desde tempos imemoriais, essas três formas de vida "iluminadas" desempenham um papel tão importante na evolução da consciência humana. Também é por essa razão que, por exemplo, a joia da flor de lótus é um símbolo fundamental do budismo, enquanto uma ave branca – a pomba – representa o Espírito Santo no cristianismo. Elas vêm preparando o terreno para uma mudança mais profunda na consciência planetária que está destinada a acontecer com nossa espécie. Esse é o despertar espiritual que estamos começando a testemunhar agora.

O PROPÓSITO DESTE LIVRO

Estará a humanidade pronta para uma transformação da consciência, um florescimento interior tão radical e profundo que, comparado a ela, o desabrochar das flores, por mais bonito que seja, pareça apenas seu pálido reflexo? Seremos capazes de perder a densidade das nossas estruturas mentais condicionadas e nos tornar como cristais ou pedras preciosas, isto é, transparentes à luz da consciência? Conseguiremos desafiar a atração gravitacional do materialismo e da materialidade e permanecer acima da identificação com a forma, que mantém o ego imóvel e nos condena à prisão dentro da nossa própria personalidade?

A possibilidade de ocorrer uma transformação desse tipo tem sido a essência dos ensinamentos de grande sabedoria da humanidade. Os mensageiros – Buda, Jesus e outros, nem todos conhecidos – foram as primeiras flores do gênero humano. São os chamados precursores, seres raros e preciosos. Como um florescimento mais disseminado ainda não era possível na época em que eles viveram, suas mensagens tornaram-se amplamente incompreendidas e muito distorcidas. Assim, não transformaram o comportamento humano, exceto no que diz respeito a um pequeno número de pessoas.

Estaria a humanidade mais preparada agora do que na época dos primeiros mestres? Por que se poderia esperar isso? O que você pode fazer, se é que pode, para produzir ou apressar essa mudança interna? O que caracteriza o antigo estado egoico da consciência e quais sinais nos permitem reconhecer a nova consciência que está surgindo? Essas e outras perguntas essenciais serão discutidas neste livro. Mais importante ainda: este livro é em si um instrumento de transformação que resultou dessa consciência emergente. As ideias e os conceitos que apresenta, ainda que relevantes, são secundários. Eles nada mais são do que pontos de referência em direção ao despertar. À medida que você for avançando na leitura, uma mudança se estabelecerá no seu ser.

O principal propósito deste livro não é acrescentar novas informações e crenças à sua mente nem tentar convencê-lo de alguma coisa, e sim produzir uma modificação da sua consciência, ou seja, o despertar. Nesse sentido, ele não é "interessante". Chamamos de interessante uma leitura que nos permite manter o distanciamento, analisar as ideias e os conceitos, concordar ou discordar. Mas este livro é sobre você. Se ele não modificar seu estado de consciência, não terá feito sentido. Ele só pode despertar quem está pronto para isso. Nem todo mundo se encontra nesse estágio, no entanto muitas pessoas já o atingiram. E, com cada indivíduo que desperta, o impulso sobre a consciência coletiva cresce, fazendo com que o processo fique mais fácil para os outros. Se você não sabe o que significa despertar, continue lendo. Só por meio da experiência se conhece o verdadeiro sentido dessa palavra. Um lampejo é suficiente para dar início a essa transformação, que é irreversível. Para alguns, esse vislumbre virá enquanto estiverem lendo estas páginas. No caso de outros, talvez o processo já esteja em andamento e eles ainda não o tenham compreendido. Este livro os ajudará a perceber isso. Para alguns indivíduos, ele pode ter sido desencadeado por uma perda ou pelo sofrimento. Porém, também pode ter se iniciado pelo contato com um mestre ou ensinamento espiritual, pela leitura do meu livro *O poder do Agora* – ou de outra obra espiritualmente viva e, portanto, transformadora – ou por qualquer combinação desses fatores. Se o processo do despertar já tiver ocorrendo com você, esta leitura irá acelerá-lo e intensificá-lo.

Um ponto essencial do despertar é a identificação daquela parte em nós que ainda não se modificou, o ego da maneira como ele pensa, fala e age, assim como o reconhecimento do processo mental condicionado coletivamente que perpetua esse estado não desperto. É por isso que este livro mostra os aspectos principais do ego e como eles se manifestam no plano individual e coletivo. Isso é importante por dois motivos que se inter-relacionam. O primeiro deles é: a menos que conheça o mecanismo básico por trás do funcionamento do ego, você não o detectará, e ele irá enganá-lo, impedindo que o reconheça todas as vezes que tentar. Isso mostra que ele o domina – é um impostor fingindo ser você. O segundo motivo é que o ato do reconhecimento é em si uma das maneiras pelas quais acontece o despertar. Quando você descobre a inconsciência em si próprio, aquilo que torna o reconhecimento possível *é* o surgimento da consciência, *é* o despertar. Você não pode lutar contra o ego e vencer, assim como não consegue combater a escuridão. A luz da consciência é tudo o que é necessário. Você é essa luz.

UM DISTÚRBIO HERDADO

Se examinarmos mais detidamente as antigas religiões e tradições espirituais da humanidade, veremos que, por baixo de grande parte das diferenças superficiais que elas apresentam, há duas ideias centrais com as quais a maioria delas concorda. Embora as palavras usadas para explicar essas ideias sejam diversas, todas remetem a uma verdade fundamental dupla. Nesta seção, abordarei uma de suas faces – a negativa – e, na próxima, a positiva. A primeira parte, ou o aspecto ruim, dessa verdade é a compreensão de que o estado mental "normal" de quase todos os seres humanos contém um forte elemento do que podemos chamar de distúrbio, ou disfunção, e até mesmo de loucura. Determinados ensinamentos fundamentais do hinduísmo talvez sejam os que mais se aproximem da ideia de que esse desajuste é uma forma de doença mental coletiva. Eles o chamam de *maya*, o véu da ilusão. Ramana Maharshi, um dos maiores sábios indianos, afirma sem rodeios: "A mente é *maya*."

O budismo emprega termos diferentes. De acordo com Buda, a mente humana no seu estado normal produz *dukkha*, termo páli que pode ser traduzido como sofrimento, insatisfação ou tristeza, entre outros. Para ele, essa é uma característica da condição humana. Não importa aonde vamos nem o que façamos, disse o mestre, encontraremos *dukkha*, e isso se manifestará em todas as situações, cedo ou tarde.

De acordo com os ensinamentos cristãos, o estado coletivo normal da humanidade é de "pecado original". A palavra "pecado" tem sido incompreendida ao longo dos séculos. Traduzida de forma literal do grego antigo, idioma em que o Novo Testamento foi escrito originalmente, ela significa errar o alvo, como na situação de um arqueiro que falha em atingir ponto de mira. Assim, pecar quer dizer *errar o sentido* da existência humana. Corresponde a viver de maneira desorientada, cega e, portanto, sofrer e causar sofrimento. Uma vez mais, essa palavra, despojada da sua bagagem cultural e de sentidos equivocados, indica o distúrbio inerente à condição humana.

As conquistas da civilização são admiráveis e inegáveis. Criamos obras sublimes de música, literatura, pintura, arquitetura e escultura. Mais recentemente, a ciência e a tecnologia estabeleceram mudanças radicais na maneira como vivemos e nos capacitaram a produzir inventos que teriam sido considerados miraculosos até mesmo 200 anos atrás. Não há dúvida: a mente humana possui um altíssimo grau de inteligência. Ainda assim, essa inteligência é tingida pela loucura. A ciência e a tecnologia aumentaram o impacto destrutivo que o distúrbio da mente humana tem sobre o planeta, sobre as outras formas de vida e sobre as próprias pessoas. Por isso é na história do século XX que essa disfunção, ou essa insanidade coletiva, pode ser reconhecida com mais nitidez. Um fator adicional é que essa perturbação está de fato se intensificando e se acelerando.

A Primeira Guerra Mundial eclodiu em 1914. Lutas destruidoras e cruéis, motivadas por medo, cobiça e desejo de poder, são ocorrências comuns em toda a história da nossa espécie, assim como foram a escravidão, a tortura e a violência disseminada infligidas por motivos religiosos e ideológicos. Os seres humanos sofreram mais nas mãos uns dos outros do que em decorrência de desastres naturais. Em 1914, a mente humana altamente inteligente inventou não só o motor de combustão interna como também bombas, metralhadoras, submarinos, lança-chamas e gases venenosos. A inteligência a serviço da loucura! Nas trincheiras estáticas da guerra na França e na Bélgica, milhões de homens pereceram para ganhar alguns poucos quilômetros de lama. No fim do conflito, em 1918, os sobreviventes observaram horrorizados e incrédulos o saldo da devastação: 10 milhões de pessoas mortas e muitas mais mutiladas ou desfiguradas. Nunca antes a loucura humana tivera consequências tão devastadoras e deixara efeitos tão evidentes. Mal sabiam eles que aquilo era apenas o começo.

No fim do século XX, o número de pessoas mortas violentamente pela mão de outras chegou a mais de 100 milhões. Essas mortes foram causadas não apenas por guerras entre países, mas também pelo extermínio em massa e o genocídio, como a execução de 20 milhões de "inimigos de classe, espiões e traidores" na União Soviética, durante o governo de Stalin, e o Holocausto na Alemanha nazista, que deixou um registro de horrores indescritíveis. Além disso, muitos morreram em incontáveis conflitos mais restritos, como a guerra civil espanhola e o massacre de 25% da população do Camboja durante o regime do Khmer Vermelho.

Basta assistirmos ao noticiário para ver que a loucura não arrefeceu, ela continua no século XXI. Um dos aspectos do distúrbio coletivo da mente humana é a violência sem precedentes que estamos infligindo a outras formas de vida e ao próprio planeta – a destruição de florestas, que produzem oxigênio, e de outros seres vegetais e animais; os maus-tratos aplicados a animais em propriedades rurais voltadas à produção comercial; e o envenenamento de rios e oceanos e do ar. Motivados pela cobiça, ignorantes da nossa interdependência do conjunto como um todo, persistimos num comportamento que, se continuar indiscriminadamente, resultará na nossa própria destruição.

As manifestações coletivas de insanidade que se encontram na essência da condição humana constituem a maior parte da história da nossa espécie. E, em grande medida, essa história é de loucura. Se ela fosse o relato do caso clínico de uma única pessoa, o diagnóstico seria: ilusões paranoicas crônicas, propensão patológica para cometer assassinato e atos de extrema violência e crueldade contra "inimigos" imaginados – sua própria consciência projetada exteriormente. Uma insanidade criminosa com breves intervalos de lucidez.

Medo, cobiça e desejo de poder são as forças motivadoras psicológicas que estão por trás não só dos conflitos armados e da violência envolvendo países, tribos, religiões e ideologias, mas também do desentendimento incessante nos relacionamentos pessoais. Elas produzem uma distorção na percepção que temos dos outros e de nós mesmos. Por meio delas, interpretamos erroneamente todas as situações, o que nos leva a adotar uma ação equivocada para nos livrarmos do medo e satisfazermos nossa necessidade interior de alcançar *mais*, um poço sem fundo que nunca pode ser preenchido.

É importante que você compreenda, porém, que o medo, a cobiça e o desejo de poder não são o distúrbio de que estou falando, embora sejam criados por essa disfunção, que é uma ilusão coletiva profundamente arraigada na mente de todo ser humano. Numerosos ensinamentos espirituais nos dizem para abandonar o medo e o desejo. Mas, em geral, esses métodos espirituais não atingem seu objetivo. Não chegam à verdadeira causa do distúrbio. Medo, cobiça e desejo de poder não são os fatores causais supremos. Tentar ser uma pessoa boa ou melhor parece algo recomendável e evoluído a fazer; ainda assim, não é um empreendimento que alguém consiga realizar com total sucesso, a não ser que ocorra uma mudança em sua consciência. Isso acontece como parte da mesma disfunção, uma forma mais sutil e rarefeita de destaque pessoal, do desejo por mais e do fortalecimento da identidade conceitual do indivíduo, da sua imagem. Ninguém se torna bom tentando ser bom, e sim encontrando a bondade que já existe dentro de si mesmo e permitindo que ela sobressaia. No entanto, essa qualidade só se distingue quando algo fundamental muda no estado de consciência da pessoa.

A história do comunismo, inspirado originalmente por ideais nobres, ilustra com clareza o que acontece quando as pessoas tentam alterar a realidade externa – no caso, criar um novo mundo – sem realizar nenhuma modificação prévia essencial na sua realidade interior, no seu estado de consciência. Elas fazem planos sem levar em conta o "modelo" de distúrbio que todo ser humano traz dentro de si: o ego.

A NOVA CONSCIÊNCIA EMERGENTE

A maioria das religiões e tradições espirituais compartilha a ideia de que nosso estado mental "normal" é prejudicado por uma imperfeição fundamental, o distúrbio a que me referi. No entanto, além dessa percepção da natureza da condição humana – que podemos chamar de má notícia –, há uma segunda percepção, ou a boa notícia, que é a possibilidade de uma transformação radical da nossa consciência. Nas mensagens hinduístas (e, em alguns casos, também no budismo), essa mudança é chamada de *iluminação;* nos ensinamentos de Jesus, de *salvação;* no budismo, de *fim do sofrimento*. Outros termos usados para caracterizá-la são *libertação* e *despertar*.

A maior conquista da humanidade não são as obras de arte nem os inventos da ciência e da tecnologia, mas a identificação do seu próprio distúrbio, da sua própria loucura. No passado distante, alguns indivíduos chegaram a fazer esse reconhecimento. É provável que um homem chamado Sidarta Gautama, que viveu há 2.600 anos na Índia, tenha sido o primeiro a ver essa questão com absoluta clareza. Depois, o título de *Buda* lhe foi concedido. Buda significa "aquele que despertou". Praticamente na mesma época, outro dos mestres despertos da humanidade surgiu na China. Seu nome era Lao-Tsé. Ele deixou um registro dos seus ensinamentos na forma de um dos livros espirituais mais profundos já escritos, o *Tao Te Ching*.

Reconhecer a própria loucura marca, obviamente, o surgimento da sanidade, o início da cura e da transcendência. Uma nova dimensão da consciência começava então a emergir no planeta, a primeira tentativa de florescimento. Aquelas pessoas raras se dirigiam a seus contemporâneos falando sobre pecado, sofrimento e ilusão. Diziam: "Observe seu modo de viver. Veja o que você está fazendo, o sofrimento que está causando." Depois, indicavam a possibilidade de despertar do pesadelo coletivo da existência humana "normal". E mostravam o caminho.

O mundo ainda não estava preparado para esses mestres. No entanto, eles foram uma parte crucial e indispensável do despertar humano. Inevitavelmente, na maioria das vezes, não chegaram a ser bem entendidos por seus contemporâneos nem pelas gerações seguintes. Seus ensinamentos, embora simples e eficazes, acabaram sendo distorcidos e mal interpretados, em alguns casos até mesmo na maneira como foram registrados por escrito por seus discípulos. Ao longo dos séculos, acrescentaram-se muitas coisas que não tinham nada a ver com as mensagens originais e que eram reflexos de uma incompreensão básica. Alguns desses sábios foram ridicularizados, insultados ou mortos, enquanto outros passaram a ser venerados como deuses. Os ensinamentos que indicavam o caminho que se encontra além do distúrbio da mente humana, a porta de saída da loucura coletiva, foram desvirtuados e tornaram-se eles mesmos parte da insanidade.

Assim, as religiões, numa grande medida, firmaram-se como forças divisoras em vez de unificadoras. Em lugar de estabelecerem o fim da violência e do ódio por meio da compreensão da unicidade fundamental de toda a vida, elas suscitaram mais violência e ódio, mais separações entre indivíduos, religiões e até mesmo rupturas dentro de um mesmo credo. Tornaram-se ideologias, sistemas de crenças com os quais as pessoas podiam se identificar, e elas os usavam para ressaltar sua falsa percepção do eu. Por meio dessas crenças, elas se classificavam como "certas" e chamavam os outros de "errados". Assim, definiam sua identidade diante dos inimigos – os "outros", os "não crentes" ou "crentes equivocados" – e, algumas vezes, consideravam-se no direito de matá-los. O homem feito "Deus" na sua própria imagem. O eterno, o infinito, o inominável foi reduzido a um ídolo mental no qual as pessoas tinham de acreditar e que devia ser venerado como "o meu deus" ou "o nosso deus".

E, mesmo assim, apesar de todos os desvarios perpetrados em nome das religiões, a Verdade que elas indicam não deixa de brilhar em sua essência, ainda que fracamente, através de muitas camadas de distorção e interpretação errônea. É improvável, porém, que alguém seja capaz de percebê-la, a não ser que já tenha tido pelo menos lampejos da Verdade dentro de si. Ao longo da história, sempre houve indivíduos raros que vivenciaram uma mudança de consciência e, assim, detectaram em si mesmos aquilo que é apontado por todas as religiões. Para descrever essa Verdade não conceitual, eles usaram a estrutura conceitual das suas próprias crenças religiosas.

Por meio de alguns desses homens e mulheres, "escolas", ou movimentos, se desenvolveram dentro de todas as religiões importantes e representaram não só uma redescoberta, mas, em determinados casos, uma intensificação da luz do ensinamento original. Foi assim que o gnosticismo e o misticismo se estabeleceram nos primórdios do cristianismo e no cristianismo medieval. O mesmo ocorreu com o sufismo na religião islâmica, com o hassidismo e a cabala no judaísmo, com o *advaita vedanta* no hinduísmo e com o zen e o *dzogchen* no budismo. Quase todas essas escolas eram iconoclastas. Elas se opuseram a numerosas camadas de conceituações e a estruturas mentais enfraquecidas. Por essa razão, a maior parte delas foi vista com suspeita e hostilidade pelas hierarquias religiosas estabelecidas. Seus ensinamentos, ao contrário das doutrinas da religião principal, enfatizavam a compreensão e a transformação interior. Foi graças a essas escolas esotéricas que os credos mais importantes recuperaram o poder transformador dos seus preceitos originais – embora na maioria dos casos apenas poucas pessoas tivessem acesso a elas. Esses movimentos nunca se expandiram o bastante para exercer uma influência significativa sobre a profunda inconsciência coletiva que predominava. Ao longo do tempo, algumas dessas escolas se tornaram rigidamente formalizadas ou conceitualizadas para permanecerem eficazes.

ESPIRITUALIDADE E RELIGIÃO

Qual é o papel das religiões estabelecidas no surgimento da nova consciência? Muitas pessoas já reconhecem a diferença entre espiritualidade e religião. Elas compreendem que ter um sistema de crenças – um conjunto de pensamentos entendido como a verdade absoluta – não torna ninguém espiritualizado, não importa qual seja a natureza dessas convicções. Na realidade, quanto mais um indivíduo faz de seus pensamentos (crenças) sua própria identidade, mais se distancia da dimensão espiritual que existe dentro dele. Muitas pessoas "religiosas" estão presas nesse nível. Para elas, a verdade equivale ao pensamento. Como estão completamente identificadas com o pensamento (sua mente), consideram-se detentoras exclusivas da verdade, o que é uma tentativa inconsciente de proteger a própria identidade. Elas não compreendem as limitações do pensamento. A seus olhos, qualquer indivíduo que acredite (pense) de modo diferente está errado. Num passado não muito distante, isso lhes serviria de justificativa para matar alguém. E ainda há quem faça isso hoje em dia.

A nova espiritualidade, a transformação da consciência, está surgindo em grande parte fora das estruturas das religiões institucionalizadas. Sempre houve bolsões de espiritualidade, até mesmo nas religiões dominadas pela mente, embora as hierarquias formais tentassem eliminá-los por considerá-los uma ameaça. O fato de que a espiritualidade está aparecendo em larga escala fora das estruturas religiosas é algo inteiramente novo. No passado, isso teria sido inconcebível, sobretudo no Ocidente, terra das culturas mais controladas pela mente, onde a Igreja cristã detinha uma franquia virtual da espiritualidade. Ninguém podia falar a uma plateia sobre esse tema nem publicar um livro sobre o assunto sem a autorização da Igreja, caso contrário seria silenciado. Hoje em dia, porém, mesmo dentro de determinadas crenças e religiões, há sinais de mudança. Isso é confortador, e qualquer pessoa se sente grata pelos sinais de abertura, como foram as visitas do Papa João Paulo II a uma mesquita e a uma sinagoga.

Em parte como resultado dos ensinamentos espirituais que surgiram fora das religiões estabelecidas, mas também em decorrência da influência da antiga sabedoria do Oriente, um número cada vez maior de seguidores das religiões tradicionais tem sido capaz de deixar de lado a identificação com a forma, o dogma e um sistema de crenças rígido. Essas pessoas têm descoberto a profundidade original que está oculta em sua própria tradição espiritual ao mesmo tempo que encontram a profundidade dentro de si mesmas. Elas compreendem que seu "grau de espiritualidade" não está absolutamente relacionado com aquilo em que acreditam, porém que ele tem tudo a ver com seu estado de consciência. Isso, por sua vez, determina como alguém age no mundo e interage com os outros.

Aqueles que não são capazes de ver além da forma ficam mais arraigados a suas crenças, isto é, a seus próprios pensamentos. Hoje em dia, estamos testemunhando não apenas uma influência sem precedentes da consciência como também uma resistência e uma intensificação do ego. Há instituições religiosas abertas à nova consciência, enquanto outras endurecem suas posições doutrinárias e se tornam parte de todas aquelas estruturas artificiais que o ego coletivo usa para se defender e "revidar". Algumas Igrejas e seitas, assim como determinados cultos ou movimentos religiosos, são em essência entidades egoicas coletivas, uma vez que se identificam rigidamente com suas convicções mentais, a exemplo do que fazem os adeptos de qualquer ideologia política fechada a todo tipo de interpretação alternativa da realidade.

Mas o ego está destinado a se dissolver, e todas as suas estruturas rígidas – sejam elas instituições religiosas, corporações, governos ou entidades de outro tipo – irão se desintegrar de dentro para fora, mesmo que pareçam estar profundamente protegidas. As estruturas mais inflexíveis, as mais impermeáveis à mudança, serão as primeiras a desmoronar. Isso já aconteceu no caso do comunismo soviético. Por mais resguardado, por mais sólido e monolítico que se mostrasse, em poucos anos esse sistema se decompôs de dentro para fora. Ninguém tinha previsto esse fato. Todos foram surpreendidos. E há muito mais surpresas aguardando por nós.

A URGÊNCIA DA TRANSFORMAÇÃO

Quando se vê diante de uma crise radical, quando seu antigo estilo de existir no mundo – de interagir com os outros e com o reino da natureza – não funciona mais, quando sua sobrevivência é ameaçada por problemas aparentemente incontornáveis, uma forma de vida individual, bem como uma espécie, morrerá ou ultrapassará as limitações da sua condição por meio de um salto evolutivo.

Acredita-se que as formas de vida no nosso planeta tenham se originado no mar. Quando ainda não havia nenhum animal sobre a terra firme, o mar já estava cheio de vida. Então, a certa altura, uma das criaturas marinhas deve ter começado a se aventurar pelo solo. Talvez ela tenha se arrastado por alguns centímetros. Depois, exausta por causa da enorme força gravitacional do planeta, pode ter voltado à água, onde a gravidade é quase inexistente, pois ali conseguiria viver com muito mais facilidade. Mais tarde, ela tentaria de novo, de novo e de novo. Muito tempo depois, esse ser se adaptaria à vida na terra, desenvolvendo pés em vez de nadadeiras e pulmões em lugar de guelras. Parece improvável que uma espécie se expusesse a um ambiente tão estranho e sofresse uma transformação evolucionária, a não ser que fosse compelida a fazer isso por uma situação extrema. Talvez uma grande área de mar tenha passado a receber um volume cada vez menor de água do oceano principal, o que, ao longo de milhares de anos, poderia forçar os peixes a deixar seu hábitat e evoluir.

Responder a uma crise radical que ameace nossa própria sobrevivência – esse é o desafio que se apresenta à humanidade neste momento. O distúrbio da mente humana egoica, identificado há mais de 2.500 anos pela antiga sabedoria dos mestres e agora ampliado pela ciência e a tecnologia, é pela primeira vez algo ameaçador à sobrevivência do planeta. Até pouco tempo atrás, a transformação da consciência humana – também apontada por sábios do passado – era não mais do que uma possibilidade, compreendida por alguns raros indivíduos, independentemente de sua formação cultural e orientação religiosa. Um florescimento disseminado da consciência da nossa espécie não aconteceu porque até então isso não era imperativo.

Uma parte significativa da população do planeta logo entenderá, se é que isso já não aconteceu, que nossa espécie está diante de uma escolha radical: evoluir ou morrer. Uma porcentagem ainda relativamente pequena da humanidade – mas que cresce com rapidez – já está vivenciando o rompimento com os antigos padrões mentais egoicos e a emergência de uma nova dimensão de consciência.

O que está surgindo agora não é um sistema inédito de crenças, não é uma religião diferente, não é uma ideologia espiritual nem uma mitologia. Estamos chegando ao fim não só das mitologias como também das ideologias e dos sistemas de crenças. A mudança é mais profunda do que o conteúdo da nossa mente e do que nossos pensamentos. Na verdade, na essência da nova consciência está a transcendência do pensamento, a recém-descoberta capacidade de nos elevarmos ao pensamento, de compreendermos uma dimensão dentro de nós que é infinitamente mais vasta do que ele. Já não extraímos nossa identidade, o sentimento de quem somos, do fluxo incessante do pensamento, que, na antiga consciência, considerávamos ser nós mesmos. E para um indivíduo é uma libertação saber que ele não é aquela "voz dentro da cabeça". Quem ele é então? É aquele que compreende isso. A consciência que é anterior ao pensamento, ao espaço em que este – ou a emoção, ou a percepção sensorial – acontece.

O ego não é mais do que isto: identificação com a forma, o que basicamente corresponde a formas de pensamento. Se o mal tem alguma realidade (e ela é uma realidade relativa, e não absoluta), esta também é uma definição dele: identificação com a forma – formas físicas, formas de pensamento, formas emocionais. Isso resulta de uma total falta de consciência da nossa ligação com o todo, da nossa unidade intrínseca com todos os "outros" e com a Origem. Esse esquecimento é o pecado original, o sofrimento, a ilusão. Quando essa ilusão da completa separação governa tudo o que pensamos e fazemos, que tipo de mundo criamos? Para responder a essa pergunta, observe como as pessoas se relacionam entre si, leia um livro de história ou veja o noticiário na televisão hoje à noite.

Se as estruturas da mente humana permanecerem imutáveis, vamos sempre terminar recriando fundamentalmente o mesmo mundo, os mesmos males, o mesmo distúrbio.

UM NOVO CÉU E UMA NOVA TERRA

Há uma profecia bíblica que parece mais aplicável agora do que em qualquer outra época da história humana. Ela aparece tanto no Antigo quanto no Novo Testamento e fala do colapso da ordem mundial existente e do surgimento de "um novo Céu e uma nova Terra".[1] Precisamos entender que o céu mencionado nesse contexto não é um local, e sim o reino interior da consciência. Esse é o significado esotérico do mundo, e esse é também o significado dos ensinamentos de Jesus. A Terra, por outro lado, é a manifestação externa da forma, que é sempre um reflexo do interior. A consciência humana coletiva e a vida no nosso planeta estão intrinsecamente interligadas. *"Um novo Céu" é o surgimento de um estado transformado da consciência humana, enquanto "uma nova Terra" é o reflexo do reino físico.* A vida humana e a consciência humana estão ligadas de modo inerente à vida no planeta. Por isso, à medida que a consciência antiga se dissolve, tendem a ocorrer manifestações naturais de sincronismos geográficos e climáticos em muitas partes do globo, algumas das quais temos testemunhado.

Capítulo dois

EGO: O ESTADO ATUAL DA HUMANIDADE

As palavras, não importa se são verbalizadas e transformadas em sons ou se permanecem como pensamentos, podem lançar um encanto quase hipnótico sobre nós. É muito fácil nos perdermos por causa delas, sermos hipnotizados pela crença implícita de que, quando vinculamos um termo a alguma coisa, sabemos o que ela é. Mas, na verdade, não sabemos. Apenas encobrimos o mistério com um rótulo. Tudo – um pássaro, uma árvore, uma simples pedra e, certamente, um ser humano – é, em última análise, incognoscível. Isso ocorre porque todas as coisas têm uma profundidade insondável. Tudo o que podemos perceber, sentir e pensar a respeito é a camada superficial da realidade, menos do que a ponta do iceberg.

Sob a aparência superficial, todas as coisas estão ligadas não apenas a tudo o que existe como também à Origem de toda a vida da qual procedemos. Até mesmo uma pedra – e mais facilmente uma flor ou um pássaro – pode nos mostrar o caminho de volta a Deus, à Origem, a nós mesmos. Quando olhamos para algo assim ou o seguramos e depois o *deixamos ir* sem lhe impor uma palavra nem um rótulo mental, uma sensação de assombro, de maravilha, surge dentro de nós. A essência desse elemento comunica-se conosco de modo silencioso e reflete nossa própria essência para nós. Isso é o que os grandes artistas sentem e conseguem transmitir com sua arte. Van Gogh não disse "isto é apenas uma cadeira velha". Ele olhou, e olhou, e olhou. E sentiu a Existência da cadeira. Depois, sentou-se de frente para a tela e pegou o pincel. A cadeira em si tinha um valor irrisório. A pintura desse mesmo objeto vale hoje milhões de dólares.

Sempre que não encobrimos o mundo com palavras e rótulos, retorna à nossa vida a sensação do milagre, que foi perdida muito tempo atrás, quando a humanidade, em vez de usar o pensamento, deixou-se possuir por ele. Uma profundidade volta à nossa vida. As coisas recuperam sua novidade, seu frescor. E o maior de todos os milagres é vivenciar o eu essencial antes de quaisquer palavras, pensamentos, rótulos mentais e imagens. Para que isso aconteça, precisamos desvincular nossa percepção do eu – da Existência – de todas as coisas que se misturaram ou se identificaram com ele. Este livro trata justamente dessa separação.

Quanto mais rápidos somos em ligar rótulos verbais ou mentais a coisas, pessoas ou situações, mais superficial e sem vida nossa realidade se torna. Assim, mais fracos nos mostramos em relação a ela, ao milagre da vida que continuamente se desenrola dentro de nós e ao nosso redor. Com essa atitude, podemos ganhar inteligência, mas perdemos sabedoria, assim como alegria, amor, criatividade e vivacidade. Essas qualidades ficam ocultas na lacuna silenciosa entre a percepção e a interpretação. É evidente que necessitamos usar palavras e pensamentos. Ambos têm sua própria beleza; no entanto, será que precisamos ser aprisionados por eles?

As palavras reduzem a realidade a algo que a mente humana é capaz de entender, o que não é muita coisa. A linguagem consiste em cinco sons básicos que se originam nas cordas vocais. Eles são as vogais *a, e, i, o, u*. Os outros sons são consoantes produzidas pela pressão do ar: *s, f, g*, e assim por diante. Você acredita que uma combinação desses sons básicos é suficiente para explicar quem é você, o propósito supremo do universo ou até mesmo o que uma árvore ou uma pedra são em essência?

O EU ILUSÓRIO

A palavra "eu" incorpora o maior erro e a verdade mais profunda, dependendo de como é utilizada. No uso convencional, não só é um dos termos empregados com maior frequência (juntamente com as palavras correlatas "mim", "meu", "comigo", etc.) como é um dos mais enganosos. Na sua aplicação cotidiana normal, "eu" contém o erro primordial, uma percepção equivocada de quem a pessoa é, um sentido ilusório da identidade. Isso é o ego. É o que Albert Einstein, que possuía um admirável entendimento não só da realidade do espaço e do tempo como da natureza humana, chamou de "ilusão de óptica da consciência". Essa identidade ilusória se torna então a base de todas as interpretações – ou melhor, das más interpretações – posteriores da realidade, de todos os processos de pensamento, das interações e dos relacionamentos. A realidade do indivíduo passa a ser um reflexo da ilusão original.

O lado bom disso é que, se formos capazes de reconhecer a ilusão como tal, ela se dissolverá. A identificação da ilusão é seu fim. Sua sobrevivência depende do nosso erro em considerá-la a realidade. Quando compreendemos quem não somos, a realidade do que somos aparece por si mesma. Isso é o que acontecerá enquanto você estiver lendo devagar e cuidadosamente este capítulo e o próximo, que tratam do mecanismo do falso eu a que chamamos ego. Assim, qual é a natureza dessa identidade ilusória?

Aquilo a que costumamos nos referir quando dizemos "eu" não é quem nós somos. Por um ato monstruoso de reducionismo, a profundidade infinita de quem somos confundiu-se com um som produzido pelas cordas vocais ou pelo pensamento do "eu" na nossa mente e com qualquer outra coisa com que o "eu" esteja identificado. Portanto, a que se referem o "eu" comum e os termos relacionados "mim", "meu" ou "comigo"?

Quando uma criança aprende que uma sequência de sons produzida pelas cordas vocais dos pais é seu nome, ela começa a fazer com que uma palavra, que na sua mente se torna um pensamento, corresponda a quem ela é. Nessa fase, algumas crianças se referem a si mesmas na terceira pessoa. "João está com fome." Pouco tempo depois, aprendem a palavra mágica "eu" e a equiparam ao seu nome, ao qual já atribuíram o significado de quem elas são. Então outros pensamentos aparecem e se fundem com a percepção original do "eu". O passo seguinte são pensamentos de "mim" e "meu" para designar as coisas que, de alguma forma, são parte do "eu". Isso é a identificação com objetos, o que significa conferir às *coisas* – em última análise, pensamentos que representam coisas – uma percepção do "eu", extraindo assim uma identidade delas. Quando algo que a criança chama de "*meu* brinquedo" se quebra ou é tirado dela, surge um intenso sofrimento. Não porque o objeto tenha um valor intrínseco – a criança logo perde o interesse por ele e o substitui por outro item qualquer –, e sim por causa do pensamento "meu". O brinquedo torna-se parte do desenvolvimento da percepção da identidade, do "eu".

Desse modo, à medida que a criança cresce, o pensamento original do "eu" atrai outros pensamentos para si mesmo e passa a se identificar com diversos elementos, como nacionalidade, gênero, raça, religião, profissão, bens materiais, o corpo percebido pelos sentidos, etc. Outras coisas com as quais o "eu" se identifica são papéis – mãe, pai, marido, esposa, e assim por diante –, opiniões e conhecimento acumulados, o gostar e o não gostar, além de fatos que aconteceram no passado e cuja lembrança são pensamentos que posteriormente definem a percepção da identidade como "eu e minha história". Esses são apenas alguns dos aspectos dos quais as pessoas extraem sua percepção de quem elas são. No fim das contas, eles não passam de pensamentos reunidos de maneira precária por conterem todo o sentido da identidade egoica. Essa construção mental é aquilo a que em geral alguém se refere quando diz "eu". Para ser mais preciso: na maior parte do tempo, não é a pessoa que está falando quando pronuncia ou pensa "eu", mas algum aspecto dessa construção mental, a identidade egoica. Após o processo do despertar, a palavra "eu" ainda é usada, no entanto ela passa a vir de um lugar muito mais profundo dentro de nós.

Quase todas as pessoas ainda estão identificadas com o fluxo incessante da mente, do pensamento compulsivo, em sua maior parte repetitivo e sem importância. Não existe nenhum "eu" fora dos seus processos de pensamento e das emoções que os acompanham. E é esse o significado de ser espiritualmente inconsciente. Quando informadas de que existe uma voz na sua cabeça que nunca pára de falar, as pessoas costumam ter duas reações: ou perguntam "que voz?" ou a negam com raiva – e isso, sem dúvida, *é* a própria voz, aquele que pensa, a mente não observada. Podemos considerá-la quase uma entidade que se apossou das pessoas.

Há quem nunca se esqueça da primeira vez que conseguiu romper a identificação com seus pensamentos, momento em que foi capaz de sentir brevemente a mudança de identidade, deixando de ser o conteúdo da sua mente para se tornar a consciência lá no fundo. No caso de outros indivíduos, isso acontece de uma maneira tão sutil que eles mal percebem ou apenas notam uma abundância de alegria ou paz interior sem saberem o que originou esses sentimentos.

A VOZ NA NOSSA CABEÇA

Tive meu primeiro lampejo de consciência quando era aluno do primeiro ano na Universidade de Londres. Eu tomava o metrô duas vezes por semana para ir à biblioteca da universidade, em geral por volta das nove horas da manhã, quase no fim do horário de maior movimento. Certa vez, uma mulher com pouco mais de 30 anos sentou-se à minha frente. Eu já a tinha visto algumas vezes naquele trem. Não era possível deixar de notá-la. Embora o vagão estivesse cheio, os assentos ao seu lado permaneciam desocupados. O motivo era, sem dúvida, o fato de que ela parecia um pouco insana. Muito tensa, falava consigo mesma sem cessar em voz alta e irada. Estava tão absorta nos próprios pensamentos que dava a impressão de ignorar a presença das pessoas ao seu redor. Mantinha a cabeça baixa e ligeiramente voltada para a esquerda, como se estivesse conversando com alguém sentado no lugar vago ao seu lado. Embora eu não me lembre com exatidão das suas palavras, o monólogo que essa mulher desfiava era algo como: "E então ela me disse... e depois eu disse que ela era uma mentirosa que ousava me acusar... você sempre tirou vantagem da confiança que eu tinha em você e me traiu..." Seu tom de voz era raivoso como o de uma pessoa que fora enganada, que precisava defender sua posição ou se sentiria aniquilada.

Enquanto o trem se aproximava da estação Tottenham Court Road, ela se levantou e se dirigiu à porta sem interromper a torrente de palavras que lhe brotava dos lábios. Como eu também ia saltar ali, fui andando atrás dela. No nível da rua, a mulher começou a caminhar para a Bedford Square, ainda envolvida no diálogo imaginário. Minha curiosidade aumentou. Como ela estava se deslocando na mesma direção que eu tomaria, decidi segui-la. Embora permanecesse envolvida naquela conversa fantasiosa, a mulher parecia saber para onde estava indo. Logo estávamos próximos à imponente estrutura do Senate House, um edifício de 1930, onde se localizavam o prédio da administração central da universidade e a biblioteca. Fiquei chocado. Seria possível que estivéssemos nos encaminhando para o mesmo lugar? Sim, era para onde ela ia. Será que a mulher era uma professora, uma aluna, uma funcionária administrativa, uma bibliotecária? Talvez fizesse parte de um projeto de pesquisa psicológica. Nunca soube a resposta. Procurei me manter 20 passos atrás dela, mas, no momento em que entrei no prédio (onde, ironicamente, funcionava a sede da Polícia do Pensamento na versão cinematográfica do romance *1984*, de George Orwell), ela já tinha desaparecido num dos elevadores.

Fiquei impressionado com o que acabara de testemunhar. Aos 25 anos, eu era um aluno maduro do primeiro ano da faculdade e me considerava um intelectual em desenvolvimento. Estava convencido de que todas as respostas aos dilemas da existência humana podiam ser encontradas por meio do intelecto, isto é, pelo pensamento. Não compreendia ainda que o pensamento sem a consciência *é* o principal dilema da existência humana. Para mim, os professores eram sábios que tinham todas as respostas, enquanto a universidade era um templo do conhecimento. Como poderia uma pessoa insana como aquela fazer parte disso?

Ainda estava com a mente voltada para aquela mulher enquanto lavava as mãos no banheiro da biblioteca. Pensei: "Espero não acabar como ela." O homem ao meu lado olhou na minha direção. Fiquei chocado de repente ao perceber que havia não apenas pensado naquelas palavras como as tinha murmurado. "Ai, meu Deus, já estou como ela", pensei. Não seria minha mente incessantemente ativa como a dela? Havia diferenças mínimas entre nós. A emoção subjacente que predominava por trás do pensamento da mulher parecia ser a raiva. No meu caso, era sobretudo a ansiedade. Ela pensava em voz alta. Eu, na maior parte do tempo, apenas pensava. Se ela fosse maluca, então todo mundo seria louco também, inclusive eu. Só havia diferenças de grau.

Por um momento, fui capaz de me distanciar da minha própria mente e vê-la de uma perspectiva mais profunda, como ela era. Percebi uma breve mudança – do processo de pensar para o estado de consciência. Eu ainda estava no banheiro, porém sozinho agora, olhando para meu rosto refletido no espelho. No momento em que me desliguei da minha mente, ri em voz alta. Deve ter soado como uma birutice, no entanto era o riso da sanidade, aquele do Buda barrigudo. "A vida não é tão séria quanto minha mente a faz parecer." Era o que a risada parecia dizer. Contudo, aquilo foi apenas um lampejo, e eu o esqueceria bem rápido. Acabei passando os três anos seguintes num estado de ansiedade e depressão, completamente identificado com minha mente. Foi preciso que eu chegasse muito perto do suicídio para que minha consciência retornasse. Depois disso ocorreu bem mais do que um lampejo. Eu me libertei do pensamento compulsivo e do falso eu criado pela mente.

Aquele episódio envolvendo a mulher não só me deu a primeira centelha de consciência como despertou minha primeira dúvida quanto à validade absoluta do intelecto humano. Meses mais tarde, um fato trágico fez com que essa dúvida aumentasse. Numa manhã de segunda-feira, eu e outras pessoas chegamos à universidade para assistir à palestra de um professor cujas ideias eu admirava muito. Mas fomos informados de que ele havia cometido suicídio no fim de semana – atirara em si mesmo. Fiquei atordoado. Ele era um professor altamente respeitado e parecia ter respostas para tudo. No entanto, até aquele momento, eu não conseguia identificar nenhuma alternativa para o cultivo do pensamento. Ainda não compreendia que pensar é apenas um minúsculo aspecto da consciência que somos. Além disso, não sabia nada sobre o ego, quanto mais sobre como detectá-lo em mim mesmo.

O CONTEÚDO E A ESTRUTURA DO EGO

A mente egoica é completamente condicionada pelo passado. Esse condicionamento é duplo: consiste em conteúdo e estrutura.

No caso de uma criança que está chorando e sofrendo profundamente porque lhe tiraram um brinquedo, esse objeto representa o conteúdo. Ele pode ser trocado por qualquer outro conteúdo, isto é, por qualquer outro brinquedo ou objeto. O conteúdo com o qual alguém se identifica é condicionado pelo ambiente, por sua criação e pela cultura dominante. Tanto faz se a criança é rica ou pobre e também não importa se o brinquedo é um pedaço de madeira no formato de um animal ou um aparelho eletrônico sofisticado: o sofrimento causado pela perda do objeto será o mesmo. A causa dessa dor aguda está oculta na palavra "meu" e é estrutural. A compulsão inconsciente para ressaltar a própria identidade por meio da associação com um objeto é construída na própria estrutura da mente egoica.

Uma das mais básicas estruturas mentais que possibilita a existência do ego é a identificação. A palavra "identificação" deriva dos termos latinos *idem*, que significa "o mesmo", e *facere*, que corresponde a "fazer". Portanto, quando nos identificamos com algo, "fazemos dele o mesmo". O mesmo que o quê? O mesmo que nós. E lhe atribuímos a percepção do eu – assim ele se torna parte da nossa "identidade". Um dos níveis mais básicos de identificação é com as coisas, tanto que dizemos meu brinquedo, que mais tarde se torna meu carro, minha casa, minhas roupas, e assim por diante. Tentamos nos encontrar nas coisas, porém nunca conseguimos fazer isso inteiramente e acabamos nos perdendo nelas. Essa é a sina do ego.

A IDENTIFICAÇÃO COM AS COISAS

Quem trabalha no setor de publicidade sabe muito bem que, para vender produtos supérfluos ou desnecessários, é preciso convencer as pessoas de que esses objetos acrescentarão algo à maneira como elas se veem ou são vistas pelos outros, ou seja, que adicionarão alguma coisa à sua percepção do eu. Os anúncios fazem isso, por exemplo, nos dizendo que vamos nos destacar da multidão usando tal produto e, assim, por implicação, seremos mais plenamente nós mesmos. Outras propagandas criam uma associação na nossa mente entre o produto e alguém famoso, jovem, atraente ou de aparência feliz. Até mesmo imagens do início da carreira de celebridades que agora já estão velhas ou mortas funcionam bem para esse propósito. O pressuposto implícito é de que, comprando determinado item, nos tornamos, por meio de uma apropriação mágica, como essas pessoas ou então assumimos sua imagem superficial. Assim, em muitos casos, não estamos adquirindo um produto, mas um "meio de realçar nossa identidade". As grifes de estilistas são, em termos básicos, identidades que compramos. Elas são caras e, portanto, "exclusivas". Se todo mundo pudesse adquiri-las, seu valor psicológico se perderia e nós ficaríamos apenas com seu valor material, que talvez represente apenas uma fração do preço que pagamos por elas.

Com que tipo de coisa cada um de nós se identifica é algo que varia de pessoa para pessoa, considerando a idade, o sexo, a renda, a classe social, a moda e a cultura dominante, entre outros fatores. *Aquilo com que* alguém se identifica tem tudo a ver com o conteúdo, enquanto a compulsão inconsciente para se identificar é estrutural. Essa é uma das maneiras mais básicas pelas quais a mente egoica funciona.

Paradoxalmente, o que mantém a chamada sociedade de consumo é o fato de que tentar encontrar a si mesmo por meio de coisas não funciona: a satisfação do ego tem vida curta. Assim, a pessoa continua buscando mais, continua comprando, continua consumindo.

É claro que, nessa dimensão material em que nosso eu superficial vive, as coisas são uma parte necessária e inevitável da vida. Precisamos morar em algum lugar, necessitamos de roupas, móveis, ferramentas, transporte, etc. Há também coisas que valorizamos por causa da sua beleza ou da sua característica inerente. Devemos reverenciar o universo das coisas, e não menosprezá-

-lo. Cada objeto tem uma Existência, é uma forma temporária cuja origem está na Vida Única, informe, a origem de todas as coisas, de todos os corpos, de todas as formas. Nas culturas mais antigas, as pessoas acreditavam que tudo, até mesmo os objetos supostamente inanimados, possuíam um espírito próprio – e a esse respeito elas se encontravam mais próximas da verdade do que estamos hoje em dia. Quando se habita um mundo embotado pela abstração mental, não se sente mais a vida pulsante do universo. A maioria de nós não se encontra numa realidade viva, e sim numa realidade conceitualizada.

Mas não podemos reverenciar as coisas verdadeiramente se as usamos como meios para ressaltar nosso eu, isto é, se tentamos nos encontrar por meio delas. É isso que o ego faz. Sua identificação com as coisas cria sentimentos de apego e obsessão em relação a elas, o que, por sua vez, forma a sociedade de consumo, bem como suas estruturas econômicas, onde a única medida de progresso é sempre *mais*. A busca descontrolada por mais, pelo crescimento infinito, é um distúrbio e uma doença. É a mesma disfunção apresentada pela célula cancerosa, cuja única meta é se multiplicar, inconsciente de que está provocando seu próprio fim ao destruir o organismo de que faz parte. Alguns economistas são tão atraídos pelo conceito de crescimento que não conseguem se desligar dessa palavra, assim eles se referem à recessão como um período de "crescimento negativo".

Uma grande parte da vida de muita gente é consumida por uma preocupação obsessiva com as coisas. É por isso que uma das doenças do nosso tempo é a proliferação de objetos. Quando uma pessoa não consegue mais sentir a vida que ela própria é, em geral tenta preencher sua existência com coisas. Se esse for seu caso, sugiro, como uma prática espiritual, que você analise seu relacionamento com o universo das coisas por meio da observação de si mesmo e, em particular, de tudo o que é designado com a palavra "meu". É preciso que esteja alerta e seja honesto para descobrir, por exemplo, se seu sentido de valor pessoal está ligado aos bens que possui. Será que determinadas coisas lhe despertam um sentimento sutil de importância ou superioridade? A falta delas o faz se sentir inferior a quem tem mais? Você menciona de modo informal as coisas que possui ou as exibe para aumentar seu sentido de valor aos olhos das pessoas e por meio delas aos seus próprios olhos? Costuma ficar ressentido ou irado e, de alguma forma, se sente diminuído na percepção do seu eu quando constata que alguém tem mais do que você ou quando perde um bem valorizado?

O ANEL PERDIDO

Quando eu visitava pessoas como conselheiro e mestre espiritual, ia duas vezes por semana à casa de uma mulher cujo corpo estava tomado pelo câncer. Era uma professora primária com pouco mais de 40 anos de idade. Segundo os médicos, ela não teria mais do que meses de vida. Vez por outra, trocávamos algumas palavras durante esses encontros, no entanto quase sempre nos sentávamos juntos em silêncio. Durante esse tempo, ela teve seus primeiros lampejos do silêncio dentro de si, algo que, ao longo de sua atarefada vida de professora, nunca soubera que existia.

Certa vez, porém, ao chegar, encontrei-a num estado de grande aflição e raiva. Perguntei o que havia acontecido.

Seu anel de diamante, de grande valor monetário e sentimental, havia desaparecido. Ela estava certa de que fora furtado pela acompanhante que cuidava dela por algumas horas todos os dias. Disse que não entendia como alguém conseguia ser tão insensível e desumano para fazer isso com ela. Depois me perguntou se devia interrogar a mulher ou se seria melhor chamar a polícia imediatamente. Respondi que não podia lhe dizer como agir, mas pedi que descobrisse até que ponto um anel ou qualquer outra coisa era importante àquela altura da sua vida.

– Você não entende – ela afirmou. – Esse era o anel da minha avó. Eu o usava todos os dias e só parei porque fiquei doente e minhas mãos começaram a inchar. É mais do que um simples anel para mim. Como posso não estar aborrecida?

A rapidez da sua resposta, a raiva e a atitude defensiva em sua voz eram indicações de que ela ainda não se tornara presente o suficiente para olhar para dentro, desprender sua reação de um acontecimento e observar ambos. A raiva e a atitude defensiva que demonstrou eram sinais de que o ego ainda falava por seu intermédio. Eu disse:

– Vou lhe fazer algumas perguntas, mas, em vez de me dizer algo agora, veja se consegue encontrar as respostas dentro de você. Farei uma pausa depois de cada uma delas. Quando surgir uma resposta, talvez ela não venha necessariamente na forma de palavras.

– Estou pronta para escutar.

Eu perguntei:

– Você compreende que terá que abandonar o anel em algum momento, talvez brevemente? De quanto tempo mais você precisa antes de estar pronta para se desvencilhar desse apego? Você vai se sentir inferior quando isso acontecer? *A pessoa que você é* se tornou diminuída pela perda?

Houve alguns minutos de silêncio depois da última indagação. Quando a mulher retomou a palavra, havia um sorriso no seu rosto, e ela parecia em paz.

– A última pergunta me fez compreender algo importante. Primeiro, procurei uma resposta nos meus pensamentos e eles foram: "Sim, é claro que você foi diminuída." Depois, fiz a pergunta de novo a mim mesma: "A pessoa que eu sou se tornou inferior?" Dessa vez, em lugar de pensar na resposta, tentei sentir.

E de repente senti o Ser. Isso nunca havia acontecido comigo antes. Se posso sentir o Ser tão fortemente, então o que sou não foi diminuído em nada. Ainda consigo sentir isso agora, algo tranquilo, mas muito vivo.

– Essa é a alegria do Ser – expliquei. – Você só pode senti-la quando se desliga da sua cabeça. O Ser deve ser sentido. Não pode ser pensado. O ego não o conhece porque ele se compõe apenas do pensamento. Na verdade, o anel estava na sua mente como um pensamento que você confundiu com a percepção do Ser. Você pensou que seu Ser ou uma parte dele estava nesse objeto. Seja o que for que o ego busque e a que se apegue, isso é um substituto do Ser que ele não consegue sentir. Você pode valorizar as coisas e se preocupar com elas. Porém, sempre que se prender a esses objetos, saberá que se trata do ego. E nunca estará de fato atada a uma coisa, e sim a um pensamento que contém algo como "eu", "mim" ou "meu". Toda vez que você aceita completamente uma perda, o ego é suplantado e quem você é, o Ser que é consciente de si mesmo, aparece.

Ela disse:

– Agora compreendo uma frase de Jesus que antes não fazia sentido para mim: "E ao que te tirar a capa não impeças de levar a túnica também."[1]

– Está certo – concordei. – O que não quer dizer que você nunca deva trancar sua porta. O significado disso é que, às vezes, desprender-se das coisas é um ato que encerra muito mais poder do que defendê-las ou agarrar-se a elas.

Nas suas últimas semanas de vida, à medida que seu corpo ia ficando cada vez mais fraco, essa mulher se mostrava mais radiante, como se uma luz brilhasse através dela. Desfez-se da maioria dos bens, chegando a dar alguns deles para a pessoa a quem atribuíra o furto do anel. Toda vez que ela doava algo, sua alegria aumentava. Quando sua mãe me ligou para dizer que ela se fora, também mencionou que, após a morte da filha, o anel fora encontrado no armário de remédios do banheiro. Será que sua acompanhante havia devolvido o anel ou ele estivera lá o tempo todo? Ninguém jamais saberá. De uma coisa, porém, temos certeza: a vida nos proporcionará todas as experiências que forem as mais úteis à evolução da nossa consciência. Como saberemos que determinada experiência é aquela de que necessitamos? Porque ela será a experiência pela qual estaremos passando no momento.

É errado então termos orgulho dos nossos bens ou ficarmos ressentidos com as pessoas que têm mais do que nós? De maneira nenhuma. Esse sentimento de orgulho, de precisar aparecer, o engrandecimento aparente do eu por meio de "mais do que" e sua diminuição por meio de "menos do que" não está certo nem errado – isso é o ego. O ego não está errado, ele simplesmente não tem consciência disso. Quando o observamos em nós mesmos, estamos começando a superá-lo. Não devemos levá-lo muito a sério. Sempre que você detectar um comportamento egoico em si mesmo, sorria. Se possível, procure até mesmo dar uma risada. Como a humanidade pôde aceitar isso por tanto tempo? Acima de tudo, saiba que o ego não é pessoal. Ele não é quem você é. Se você o considerar um problema particular, isso é apenas mais ego.

A ILUSÃO DA PROPRIEDADE

"Possuir" alguma coisa – o que isso quer dizer realmente? O que significa tornar alguma coisa "minha"? Se alguém parar no centro de uma grande cidade, apontar para um arranha-céu e disser "Aquele prédio é meu. Sou o dono dele", ou essa pessoa é muito rica, ou está se iludindo, ou é uma mentirosa. Em qualquer um desses casos, ela está contando uma história em que a forma de pensamento "eu" e a forma de pensamento "prédio" se fundem numa coisa só. É assim que o conceito mental de propriedade funciona. Se todo mundo confirmar sua história, é porque deve existir uma papelada assinada que ateste o motivo pelo qual todos concordam com isso. A pessoa é rica. Caso ninguém aceite sua afirmação, ela será mandada para um psiquiatra, pois ou está tendo alucinações ou é uma mentirosa compulsiva.

É importante reconhecer que a história e as formas de pensamento que a constituem, independentemente de todos concordarem com elas ou não, não têm nada a ver com quem a pessoa é. Ainda que a afirmação seja aceita, trata-se, no fim das contas, de uma ficção. Muitos indivíduos não compreendem isso até estarem no leito de morte e constatarem que nada que é exterior, *nenhuma coisa*, jamais correspondeu a quem eles são. Com a proximidade da morte, todo o conceito de propriedade acaba se revelando sem o menor sentido. Nos seus últimos momentos de vida, as pessoas também entendem que, embora tenham estado em busca de uma percepção mais completa do eu ao longo de toda a sua existência, o que elas estavam de fato procurando, seu Ser, na verdade sempre havia estado ali, mas fora obscurecido de modo significativo por sua identificação com as coisas, o que, em última análise, significa identificação com a mente.

"Bem-aventurados os humildes de espírito, porque deles é o Reino dos Céus",[2] disse Jesus. O que significa "humildes de espírito"? Nenhuma bagagem interior, nenhuma identificação. Nenhuma relação com coisas e com conceitos mentais que possuam uma percepção do eu. E o que é o "Reino dos Céus"? A simples, porém profunda, alegria do Ser que está presente quando abandonamos as identificações e nos tornamos "humildes de espírito".

É por isso que renunciar a todos os bens é uma prática espiritual antiga tanto no Oriente quanto no Ocidente. Desistir dos bens, porém, não nos libera automaticamente do ego. Ele tentará assegurar a própria sobrevivência encontrando alguma coisa com a qual se identificar – por exemplo, uma imagem mental da própria pessoa como alguém que superou todos os interesses pelos bens materiais e é, portanto, superior ou *mais* espiritualizada do que as outras. Há indivíduos que abrem mão de todas as posses, no entanto têm um ego maior do que alguns milionários. Se deixarmos de lado um tipo de identificação, o ego logo encontrará outra. No fim das contas, não importa ao que ele se apega desde que isso tenha uma identidade. Ser contra o consumismo ou não concordar com a propriedade privada seriam outras formas de pensamento, outras mentalidades, capazes de substituir a identificação com os bens. Por meio delas podemos nos considerar certos e classificar os outros como errados. Como veremos adiante, estabelecer uma divisão desse tipo é um dos principais padrões mentais egoicos, uma das maiores demonstrações de inconsciência. Em outras palavras, o conteúdo do ego pode mudar, todavia a estrutura mental que o mantém vivo não se altera.

Um dos pressupostos inconscientes é de que, ao nos identificarmos com algo por meio da ficção da propriedade, a aparente solidez e permanência desse objeto material endossará nossa percepção do eu com mais firmeza e constância. Isso se aplica sobretudo aos imóveis e ainda mais às terras, pois acreditamos que esses são os únicos bens que temos condições de possuir que não podem ser destruídos. O absurdo de termos alguma coisa torna-se ainda mais evidente no caso da terra. Na época da colonização da América do Norte, por exemplo, os nativos consideravam a propriedade da terra um conceito incompreensível. E, assim, eles a perderam quando os europeus os fizeram assinar folhas de papel, que eram igualmente incompreensíveis para sua cultura. Os indígenas sentiam que pertenciam a terra, mas ela não lhes pertencia.

O ego tende a equiparar ter com ser: eu tenho, portanto eu sou. E, quanto mais eu tenho, mais eu sou. Ele vive por meio da comparação. A maneira como os outros nos veem nos transforma em como nos vemos. Se todas as pessoas vivessem em mansões ou fossem ricas, suas casas luxuosas e sua riqueza não serviriam mais para destacar sua percepção do eu. Alguém poderia então se mudar para uma cabana simples, renunciar à fortuna e recuperar uma identidade sendo ele mesmo e sendo considerado mais espiritualizado do que os outros. O modo como um indivíduo é visto pelos demais torna-se o espelho que lhe diz como e quem ele é. Na maioria das vezes, a percepção do ego sobre o valor pessoal está ligada ao valor que a pessoa tem aos olhos dos outros. Ela precisa que eles lhe deem uma percepção do eu. Caso viva numa cultura que, em grande medida, equipara seu valor a quanto e ao que ela possui, é bom que seja capaz de detectar essa ilusão coletiva para não ser condenada a correr atrás de coisas pelo resto da vida na vã esperança de encontrar seu valor e satisfazer sua percepção do eu.

Você quer saber como se livrar do apego às coisas? Nem tente fazer isso. É impossível. Esse vínculo desaparece por si mesmo quando paramos de tentar nos encontrar nas coisas. Nesse meio--tempo, simplesmente tenha consciência de que está ligado a elas. Às vezes, você pode não saber que está vinculado a alguma coisa, quer dizer, identificado com ela, até perdê-la ou sentir a ameaça da perda. Depois disso, se você ficar aborrecido ou ansioso, é porque o apego existe. Caso esteja consciente de que está identificado com algo, a identificação não é mais total. "Eu sou a consciência que está consciente de que existe vínculo." Esse é o começo da transformação da consciência.

QUERER: A NECESSIDADE DE MAIS

O ego se identifica com possuir, mas sua satisfação com isso é de certa forma superficial e passageira. Oculta internamente, ela permanece como um sentimento profundo de insatisfação, de estar incompleto, de "não é o bastante", "não tenho o suficiente", com o que o ego de fato quer dizer: "Não *sou* o bastante ainda."

Como vimos, *ter* – o conceito de propriedade – é uma ficção criada pelo ego para adquirir solidez e permanência e se destacar, tornar-se especial. Mesmo que não sejamos capazes de nos encontrar por meio disso, existe outro impulso mais forte subjacente a esse que pertence à estrutura do ego: a necessidade de mais, o que podemos também chamar de "desejo". O ego não dura muito tempo sem isso. Portanto, querer o mantém vivo muito mais do que ter. Para ele, o apelo de querer é mais forte do que o de ter. E, assim, a satisfação superficial de ter é sempre substituída pelo querer mais. Essa é a necessidade psicológica de mais, isto é, de mais coisas com as quais se identificar. É como um vício, não é verdadeira.

Em alguns casos, essa necessidade psicológica, ou a sensação de que ainda não há o bastante, que é tão característica do ego, é transferida para o nível material e, então, converte-se na avidez insaciável. Em geral, as pessoas que sofrem de bulimia obrigam-se a vomitar para continuar comendo. É sua mente que está faminta, e não seu corpo. Os que sofrem desse distúrbio alimentar poderiam se curar se, em vez de se identificar com a mente, conseguissem entrar em contato com o próprio corpo e assim sentissem suas verdadeiras carências físicas em lugar das pseudonecessidades da mente egoica.

Alguns egos sabem o que querem e perseguem seu objetivo com uma determinação inflexível e implacável – Gêngis Khan, Stalin, Hitler, para dar apenas alguns exemplos inquestionáveis. A energia por trás da sua vontade, porém, cria uma energia oposta de igual intensidade que, por fim, leva à queda desses indivíduos. Nesse ínterim, eles se tornam infelizes e fazem o mesmo com muitas pessoas ou, como mostram episódios clássicos, criam o inferno sobre a Terra. A maioria dos egos tem vontades conflitantes. Eles querem coisas diferentes em momentos distintos ou talvez nem saibam o que desejam. Só sabem o que não querem: o momento presente. Desconforto, desassossego, tédio, ansiedade, insatisfação, tudo isso é resultado da vontade insatisfeita. Como querer é algo estrutural, nenhum acúmulo de conteúdo consegue oferecer uma satisfação duradoura enquanto essa estrutura mental está em ação. O desejo intenso que não tem um objeto específico costuma ser encontrado no ego ainda em desenvolvimento dos adolescentes. É por isso que alguns desses jovens vivem num estado permanente de negativismo e insatisfação.

Todos os seres humanos do planeta poderiam ser facilmente atendidos em suas carências materiais em relação a alimento, água, abrigo, roupas e confortos básicos, não fosse pelo desequilíbrio de recursos criado pela necessidade insana e voraz de querer sempre mais, a ganância do ego. Isso encontra expressão coletiva nas estruturas econômicas, como as grandes corporações, que são entidades egoicas que competem entre si por mais. Seu único – e cego – objetivo é o lucro. Elas perseguem essa meta do modo mais implacável possível. A natureza, os animais, as pessoas, até mesmo os funcionários, não são mais do que algarismos no seu balanço comercial, objetos inanimados a serem usados e depois descartados.

As formas de pensamento "mim", "meu", "mais do que", "eu quero", "eu preciso", "eu devo ter" e "não o bastante" pertencem não ao conteúdo, mas à estrutura do ego. O conteúdo pode ser trocado. Enquanto não reconhecemos essas formas de pensamento em nós mesmos, isto é, enquanto elas permanecem inconscientes, acreditamos no que elas dizem. Assim, ficamos condenados a agir de acordo com esses pensamentos inconscientes, a buscar e não encontrar, pois, quando eles entram em ação, nenhum bem, nenhum lugar, nenhuma pessoa, nenhuma condição jamais nos satisfaz. Não há conteúdo capaz de atender nossa vontade enquanto a estrutura egoica permanece atuante. Não importa o que tenhamos nem o que venhamos a conquistar, não seremos felizes. Sempre estaremos procurando alguma coisa além que nos prometa mais plenitude, que nos diga que vai completar a percepção do eu insatisfeito e saciar aquele sentimento de carência que trazemos dentro de nós.

A IDENTIFICAÇÃO COM O CORPO

Independentemente dos objetos, outra forma básica de identificação é com o próprio corpo. Em primeiro lugar, ele é masculino ou feminino – assim, o sentido de ser homem ou mulher adquire um papel significativo na percepção do eu da maioria das pessoas. O gênero torna-se uma identidade. A identificação com ele é estimulada na mais tenra idade e nos força a assumir um papel, a adotar padrões condicionados de comportamento que afetam todos os aspectos da nossa vida, e não apenas a sexualidade. Muitas pessoas ficam aprisionadas nesse papel, e isso ocorre com mais intensidade nas sociedades tradicionalistas do que no Ocidente, onde a identificação com o gênero está começando a diminuir um pouco. Em algumas culturas tradicionalistas, o pior destino que uma mulher pode ter é ser solteira ou estéril; no caso do homem, é não ter potência sexual e não ser capaz de gerar filhos. A plenitude da vida é entendida como a completa vivência da identidade sexual da pessoa.

No Ocidente, é a aparência do corpo que, em grande parte, contribui para a percepção de quem pensamos que somos: sua robustez ou debilidade, sua beleza ou feiura em relação aos outros. Para um número significativo de pessoas, o sentimento de valor pessoal está intimamente ligado à sua força física, à sua boa aparência, a seu preparo físico. Muitos se sentem inferiorizados em seu valor pessoal por considerarem seu corpo feio ou imperfeito.

Em alguns casos, a imagem mental, ou o conceito, "meu corpo" apresenta uma completa distorção da realidade. Uma mulher jovem que seja muito magra pode se considerar gorda e, assim, deixar de comer. Ela já não consegue ver o próprio corpo. Tudo o que "vê" é o conceito mental do seu corpo que lhe diz "eu sou gorda" ou "vou engordar". Na raiz desse problema está a identificação com a mente. Como as pessoas estão se tornando cada vez mais identificadas com a mente, o que corresponde à intensificação do distúrbio egoico, tem havido também um aumento impressionante no número de casos de anorexia nas últimas décadas. Se o indivíduo com essa disfunção alimentar pudesse observar o próprio corpo sem a interferência dos julgamentos da mente ou até mesmo reconhecê-los pelo que são em vez de acreditar neles – ou, melhor ainda, se conseguisse sentir o corpo internamente –, isso daria início à sua cura.

Quem está identificado com sua boa aparência, sua força física ou suas habilidades sofre quando esses atributos começam a diminuir ou desaparecer, o que é um processo inevitável. Sua própria identidade, que era baseada nesses elementos, fica então sujeita à ameaça de um colapso. Em qualquer caso, feias ou bonitas, as pessoas extraem uma parte significativa da sua identidade, seja ela negativa, seja positiva, do próprio corpo. Para ser mais exato, obtêm sua identidade da percepção do eu, que, erroneamente, vinculam à imagem ou ao conceito mental do seu corpo, que, em última análise, não é mais do que uma forma física que compartilha o destino de todas as formas – impermanência e, por fim, desintegração.

Equiparar o corpo físico percebido pelos sentidos – que é destinado a envelhecer, definhar e morrer – ao eu sempre causa sofrimento, cedo ou tarde. Deixar de fazer essa identificação não quer dizer que estejamos negligenciando ou desprezando o corpo. Se ele for forte, bonito ou vigoroso, podemos aproveitar e valorizar essas qualidades – enquanto elas durarem. Podemos também melhorar nossa condição física por meio de uma nutrição correta e de exercícios físicos. Se não vincularmos o corpo a quem somos, quando a beleza desaparecer, o vigor diminuir ou nos tornarmos incapacitados fisicamente, isso não afetará nosso sentido de valor nem de identidade. Na verdade, quando o corpo começa a se enfraquecer, a dimensão informe, a luz da consciência, consegue brilhar mais facilmente através da forma que se extingue aos poucos.

Não são apenas as pessoas que têm um corpo bonito ou quase perfeito que apresentam maior probabilidade de associá-lo a quem elas são. Qualquer um pode simplesmente se identificar com um corpo "problemático" e tornar uma imperfeição física, uma doença ou uma incapacidade sua própria identidade. Essa pessoa então está sujeita a pensar e falar de si mesma como uma "sofredora" que porta essa ou aquela doença ou incapacidade crônica. Ela recebe uma grande atenção de médicos e de outros indivíduos que estão sempre confirmando sua identidade conceitual como sofredora ou paciente. Assim, de modo inconsciente, essa pessoa se prende à enfermidade porque esta se tornou a parte mais importante de quem ela acredita ser. Trata-se de outra forma de pensamento com a qual o ego consegue se identificar. Depois que ele encontra uma identidade, resiste em se dissociar dela. Embora seja incrível, mas não raro, o ego que está em busca de uma identidade mais forte é capaz de criar doenças só para se fortalecer com elas.

SENTINDO O CORPO INTERIOR

Embora a identificação com o corpo seja uma das formas mais básicas do ego, o lado bom disso é que, na maioria das vezes, temos condições de superar essa questão. Não fazemos isso tentando nos convencer de que não somos nosso corpo, e sim desviando a atenção da nossa aparência física e dos pensamentos sobre ela – beleza, feiura, força, fraqueza, gordura, magreza – para a sensação da energia vital interna. Não importa o aspecto do corpo no plano exterior, pois, além disso, ele é um campo energético intensamente vivo.

Se você não tem familiaridade com a consciência do "corpo interior", feche os olhos por um momento e descubra se existe vida dentro das suas mãos. Não pergunte à sua mente. Ela responderá: "Não sinto nada." Também é provável que diga: "Dê-me algo mais interessante sobre o que pensar." Então, em vez de dirigir a pergunta a ela, vá direto para suas mãos. Com isso quero dizer o seguinte: torne-se consciente do sentimento sutil de vida que há nelas. Para percebê-lo, basta manter-se atento. Você poderá ter uma ligeira impressão de tremor no início e, depois, uma sensação da energia vital. Caso se concentre em suas mãos por alguns instantes, a sensação dessa energia se tornará mais intensa. Há pessoas que nem sequer precisam fechar os olhos. Elas são capazes de sentir suas "mãos interiores" ao mesmo tempo que leem este texto. Em seguida, passe para os pés, fixe a atenção neles por cerca de um minuto e comece a sentir as mãos e os pés simultaneamente. Por fim, inclua outras partes do corpo – pernas, braços, abdômen, tórax, e assim por diante – até estar consciente do corpo interior como uma sensação global de energia vital.

O que chamo de "corpo interior" já não é mais o corpo, e sim energia vital, a ponte entre a forma e o informe. Adquira o hábito de sentir o corpo interior sempre que for possível. Depois de um tempo, você não precisará mais fechar os olhos para isso. Por exemplo, veja se é capaz de senti-lo sempre que estiver escutando alguém. Chega a ser quase um paradoxo: quando estamos em contato com nosso corpo interior, não estamos mais identificados nem com o corpo nem com a mente. É o mesmo que dizer que não nos identificamos mais com a forma, que estamos nos afastando dessa situação e indo em direção ao sem forma, que podemos também chamar de Ser. Isso é nossa identidade essencial. A consciência do corpo não só nos ancora no momento presente como é uma passagem para fora da prisão que é o ego. Além disso, fortalece o sistema imunológico e a capacidade que o corpo tem de curar a si mesmo.

O ESQUECIMENTO DO SER

O ego é invariavelmente a identificação com a forma – está sempre nos procurando e, portanto, nos perdendo em algum tipo de forma. As formas não são apenas objetos materiais e corpos físicos. Mais essenciais do que essas formas externas são as formas de pensamento que surgem de modo contínuo no campo da consciência. Elas são formações energéticas, mais sutis e menos densas do que a matéria física, porém são formas de qualquer maneira. Aquilo que costumamos reconhecer de modo consciente como uma voz na nossa cabeça que nunca para de falar é o fluxo de pensamento incessante e compulsivo. Quando os pensamentos absorvem toda a nossa atenção, isto é, sempre que estamos tão identificados com essa voz e as emoções que as acompanham que nos perdemos de nós mesmos em cada pensamento e em cada emoção, é porque nos encontramos inteiramente identificados com a forma e, portanto, nas garras do ego. O ego é um conglomerado de formas de pensamento recorrentes e de padrões emocionais e mentais condicionados que estão investidos de uma percepção do eu. Ele se estabelece quando o sentido de Existir, do "eu sou", que é uma consciência sem forma, mistura-se com a forma. Esse é o significado da identificação.

Esse é o esquecimento do Ser, o erro fundamental, a ilusão de separação absoluta que converte a realidade num pesadelo.

DO ERRO DE DESCARTES AO INSIGHT DE SARTRE

O filósofo do século XVII René Descartes, considerado o fundador da filosofia moderna, deu expressão a esse erro fundamental com sua máxima (que considerou a verdade básica): "Penso, logo existo." Essa foi a resposta que ele encontrou para a pergunta: "Há alguma coisa que eu possa saber com certeza absoluta?" Descartes compreendeu que o fato de estar sempre pensando estava além da dúvida, assim igualou o pensamento ao Ser, isto é: a identidade – o "eu sou" – ao pensamento. Em vez da verdade suprema, ele havia detectado a origem do ego, mas não sabia disso.

Passaram-se quase 300 anos antes que outro renomado filósofo francês visse algo naquela afirmação que Descartes, assim como todo mundo, não havia percebido. Seu nome era Jean-Paul Sartre. Ele refletiu muito sobre a afirmação de Descartes, "Penso, logo existo", e, de repente, compreendeu algo. Em suas próprias palavras: "A consciência que afirma 'eu sou' não é a consciência que pensa." O que ele quis dizer com isso? Quando estamos conscientes de que estamos pensando, essa consciência não faz parte do pensamento. É uma dimensão diferente da consciência. E é essa consciência que diz "eu sou". Se não houvesse nada além do pensamento em nós, nem sequer saberíamos que pensamos. Seríamos como alguém que está sonhando e não sabe que está fazendo isso. Estaríamos identificados com cada pensamento assim como aquele que sonha está vinculado a cada imagem no sonho. Muitas pessoas vivem desse jeito, como se andassem nas nuvens, presas a antigos modelos mentais anormais que recriam continuamente a mesma realidade de pesadelo. Quando sabemos que estamos sonhando, é porque estamos despertos no sonho – outra dimensão da consciência se estabeleceu.

A implicação da percepção de Sartre é profunda, mas ele próprio ainda estava identificado demais com o pensamento para reconhecer o pleno significado do que descobrira: uma nova dimensão emergente da consciência.

A PAZ QUE EXCEDE TODA A INTELIGÊNCIA

Existem muitos relatos de pessoas que vivenciaram essa nova dimensão emergente da consciência como resultado de uma perda trágica em determinado momento da vida. Há quem tenha perdido todos os bens, os filhos ou o cônjuge, a posição social, a reputação ou as capacidades físicas. Em certos casos, em decorrência de desastre ou guerra, tudo isso se foi ao mesmo tempo e esses indivíduos se viram com "nada". Podemos chamar um quadro como esse de situação-limite. Não importa com que elementos essas pessoas estavam identificadas, o que lhes dava a percepção do ser, isso se acabou. Então, de repente e inexplicavelmente, a angústia e o medo intenso que elas sentiam desapareceram, dando lugar à sensação sagrada da presença, uma paz e uma serenidade profundas e uma completa libertação do medo. Esse fenômeno deve ter sido familiar a São Paulo, que usou a expressão "A paz de Deus que excede toda a inteligência".[3] Na verdade, é uma paz que não parece fazer sentido, e quem já passou por essa experiência se pergunta: diante *disso*, como é possível que eu sinta tanta paz?

Depois que compreendemos o que é o ego e como ele funciona, a resposta é simples. Quando as formas com as quais nos identificamos, que nos dão a percepção do eu, desmoronam ou são removidas, o ego entra em colapso, uma vez que ele *é* a identificação com a forma. No momento em que não há mais nada com que possamos nos identificar, quem somos nós? Assim que as formas ao nosso redor morrem ou quando a morte se aproxima, nossa percepção da Existência, do "eu sou", fica livre das ligações com a forma: o espírito é liberado da sua prisão na matéria. Passamos a compreender nossa identidade essencial como informe, como uma presença onipresente do Ser antes de todas as formas, de todas as identificações. Entendemos nossa verdadeira identidade como a consciência propriamente dita em vez de algo ao qual a consciência se vinculara. Essa é a paz de Deus. A verdade suprema de quem nós somos não é "eu sou isso ou eu sou aquilo", mas "eu sou".

Nem todo mundo que vivencia uma grande perda passa por esse despertar, isto é, pelo processo de se desassociar da forma. Algumas pessoas criam de imediato uma forte imagem mental ou uma forma de pensamento em que se veem como vítimas – das circunstâncias, de alguém, de um destino injusto ou de Deus. Assim, vinculam-se com intensidade a essa forma de pensamento e às emoções que ela origina, como raiva, ressentimento e autopiedade, que assumem de modo instantâneo o lugar de todas as outras identificações que entraram em colapso por causa da perda. Em outras palavras, o ego logo encontra uma nova forma. E o fato de que ela seja algo profundamente infeliz não o preocupa muito, desde que ele tenha uma nova identidade, boa ou má. Na verdade, esse novo ego será mais retraído, mais rígido e impenetrável do que o antigo.

Quando a perda trágica ocorre, nós ou resistimos a ela ou nos resignamos. Há pessoas que se tornam amargas ou muito ressentidas, enquanto outras se mostram mais solidárias, sábias e afetuosas. A resignação significa a aceitação interior do que aconteceu. Ficamos abertos à vida. A resistência é uma contração interior, um endurecimento da concha do ego. Permanecemos fechados. Seja qual for a ação que adotemos num estado de resistência interior (que podemos também chamar de negativismo), ela criará mais resistência externa, e o universo não estará do nosso lado, a vida não nos beneficiará. Se as persianas estiverem fechadas, o sol não conseguirá entrar. Quando nos submetemos internamente, ou seja, no momento em que nos entregamos, uma nova dimensão da consciência se abre. Caso uma ação seja possível ou necessária, essa atitude será alinhada com o todo e apoiada pela inteligência criativa, a consciência incondicional com a qual nos unificamos num estado de receptividade interior. As circunstâncias e as pessoas então se tornam favoráveis, cooperativas. Coincidências acontecem. Se nenhuma ação for possível, repousaremos na paz e no silêncio interior que acompanham a resignação. Descansaremos em Deus.

Capítulo três

A ESSÊNCIA DO EGO

A maioria das pessoas está tão identificada com a voz dentro da própria cabeça – o fluxo incessante de pensamento involuntário e compulsivo e as emoções que os acompanham – que podemos dizer que esses indivíduos estão possuídos pela mente. Quem se encontra inconsciente disso acredita que aquele que pensa é quem ele é. Essa é a mente egoica. Chamo-a de egoica porque existe uma percepção do eu, do ego, em todos os pensamentos – lembranças, interpretações, opiniões, pontos de vista, reações, emoções. Isso é inconsciência, espiritualmente falando. O pensamento, o conteúdo da mente, é condicionado pelo passado: pela formação, pela cultura, pelos antecedentes familiares, etc. O núcleo central de toda a atividade mental consiste em determinados pensamentos, emoções e padrões reativos repetitivos e persistentes com os quais nos identificamos com mais intensidade. Essa entidade é o próprio ego.

Na maioria dos casos, quando dizemos "eu", é o ego que está falando, e não nós, como temos observado. O ego compõe-se de pensamentos e emoções, de uma série de lembranças que reconhecemos como "eu e minha história", de papéis habituais que desempenhamos sem saber e de identificações coletivas, como nacionalidade, religião, raça, classe social e orientação política. Ele contém ainda identificações pessoais não só com bens, mas com opiniões, aparência exterior, ressentimentos antigos e conceitos sobre nós mesmos como melhores do que os outros ou inferiores a eles, como pessoas bem-sucedidas ou fracassadas.

O conteúdo do ego varia de pessoa para pessoa, no entanto todo ego funciona de acordo com a mesma estrutura. Em outras palavras: os egos diferem apenas na superfície. No fundo, eles são iguais. De que maneira são semelhantes? Eles existem à custa da identificação e da separação. Quando vivemos por meio do eu construído pela mente, que se constitui dos pensamentos e das emoções do ego, a base da nossa identidade é precária porque os pensamentos e as emoções são, por sua própria natureza, efêmeros, instáveis. Assim, todo ego está continuamente lutando pela sobrevivência, tentando se proteger e aumentar de tamanho. Para sustentar o pensamento do eu, ele precisa de algo oposto, que é o pensamento "o outro". O "eu" conceitual não consegue sobreviver sem o "outro" conceitual. Os outros são sobretudo os outros quando os vemos como inimigos. Numa extremidade da escala desse padrão egoico de consciência, situa-se o hábito compulsivo de encontrarmos defeitos nas pessoas e nos queixarmos delas. Jesus referiu-se a isso quando disse: "Por que vês tu o argueiro no olho de teu irmão e não reparas na trave que está no teu olho?"[1] No outro extremo da escala, encontram-se a violência física entre indivíduos e as guerras entre países. Embora, na Bíblia, a pergunta de Jesus permaneça sem resposta, ela é, sem dúvida: porque quando critico ou condeno o outro sinto-me maior, superior.

QUEIXAS E RESSENTIMENTOS

Queixar-se é uma das estratégias prediletas do ego para se fortalecer. Cada reclamação é uma pequena história que a mente cria e na qual acreditamos inteiramente. Não importa se ela é feita em voz alta ou apenas em pensamento. Alguns egos que talvez não tenham muito mais com o que se identificar sobrevivem apenas com queixas. Quando estamos presos a um ego assim, reclamar, sobretudo de alguém, é algo habitual e, é claro, inconsciente, o que mostra que não sabemos o que estamos fazendo. Uma atitude típica desse padrão é aplicar rótulos mentais negativos às pessoas, seja na frente delas ou, como é mais comum, falando sobre elas com alguém ou até mesmo apenas pensando nelas. Xingar é o modo mais rude de atribuir esses rótulos e de mostrar a necessidade que o ego tem de estar certo e triunfar sobre os outros: "idiota", "desgraçado", "prostituta", todas essas afirmações definitivas contra as quais não se pode argumentar. No nível seguinte, descendo pela escala da inconsciência, estão os gritos. Não muito abaixo disso se encontra a violência física.

O ressentimento é a emoção que acompanha a queixa e a rotulagem mental dos outros. Ele acrescenta ainda mais energia ao ego. Ressentir-se significa ficar magoado, melindrado ou ofendido. Costumamos nos sentir assim em relação à cobiça das pessoas, à sua desonestidade, à sua falta de integridade, ao que estão fazendo no presente, ao que fizeram no passado, ao que disseram, ao que deixaram de dizer, à atitude que deviam ou não ter tomado. O ego adora isso. Em vez de detectarmos a inconsciência nos outros, nós a transformamos em sua identidade. Quem é o responsável por isso? Nossa própria inconsciência, o ego. Algumas vezes, a "falta" que apontamos em alguém nem mesmo existe. Ela pode ser um erro total de interpretação, uma projeção feita por uma mente condicionada a ver inimigos e a se considerar sempre certa ou superior. Em outras ocasiões, a falta pode ter ocorrido; contudo, se nos concentrarmos nela, às vezes excluindo todo o resto, nós a tornamos maior do que é. E dessa maneira fortalecemos em nós mesmos aquilo a que reagimos no outro.

Não reagir ao ego das pessoas é uma das maneiras mais eficazes de não só superarmos nosso próprio ego como também de dissolver o ego humano coletivo. No entanto, só conseguimos nos abster de reagir quando somos capazes de reconhecer o comportamento de alguém como originário do ego, como uma expressão do distúrbio coletivo da espécie humana. Quando compreendemos que não se trata de nada pessoal, a compulsão para reagir desaparece. Não reagindo ao ego, muitas vezes podemos fazer aflorar a sanidade nos outros, que é a consciência não condicionada em oposição à consciência condicionada. Em determinadas ocasiões, talvez precisemos tomar providências práticas para nos proteger de pessoas profundamente inconscientes. Isso é algo que temos condições de fazer sem torná-las nossas inimigas. Nossa maior defesa, contudo, é sermos conscientes. Alguém passa a ser um inimigo quando personalizamos a inconsciência que é o ego. A não reação não é fraqueza, mas força. Outra palavra para não reação é perdão. Perdoar é ver além, ou melhor, é enxergar através de algo. É ver, através do ego, a sanidade que há em cada ser humano como sua essência.

O ego adora reclamar e se ressente não só de pessoas como de situações. O que podemos fazer com alguém também conseguimos fazer com uma circunstância: transformá-la num inimigo. Os pontos implícitos são sempre: isso não deveria estar acontecendo, não quero estar aqui, estou agindo contra minha vontade, o tratamento que estou recebendo é injusto. E, é claro, o maior inimigo do ego acima de tudo isso é o momento presente, ou seja, a vida em si.

Não confunda a queixa com a atitude de informar alguém de uma falha ou de uma deficiência para que elas possam ser sanadas. Além disso, abster-se de reclamar não corresponde necessariamente a tolerar algo de má qualidade nem um mau comportamento. Não há interferência do ego quando dizemos ao garçom que a comida está fria e precisa ser aquecida – desde que nos atenhamos aos fatos, que são sempre neutros. "Como você se atreve a me servir uma sopa fria?" Isso é se queixar. Nessa situação, existe um "eu" que adora se sentir pessoalmente ofendido pela comida fria e ele aproveitará esse fato ao máximo, um "eu" que aprecia apontar o erro de alguém. A reclamação a que me refiro está a serviço do ego, e não da mudança. Algumas vezes fica óbvio que o ego não deseja que algo se modifique para que possa continuar se queixando.

Veja se você consegue capturar, ou melhor, perceber, a voz na sua cabeça – talvez no exato instante em que ela esteja reclamando de algo – e reconhecê-la pelo que ela é: a voz do ego, não mais do que um padrão mental condicionado, um pensamento. Sempre que a observar, compreenderá que você não é ela, e sim aquele que tem consciência dela. Na verdade, você é a consciência que está consciente da voz. Atrás, em segundo plano, está a consciência. À frente, se situa a voz, aquele que pensa. Dessa maneira você estará se libertando do ego, livrando-se da mente não observada. No momento em que você se tornar consciente do ego, a rigor ele não será mais o ego, e sim um velho padrão mental condicionado. O ego implica inconsciência. Ele e a consciência não conseguem coexistir. O velho padrão mental, ou hábito mental, pode sobreviver e se manifestar por um tempo porque tem o impulso de milhares de anos de inconsciência humana coletiva atrás de si. No entanto, toda vez que é reconhecido, ele se enfraquece.

A ATITUDE REATIVA E O RANCOR

Embora o ressentimento costume ser a emoção que acompanha a queixa, ele também pode vir junto com uma emoção forte, como a raiva ou outra forma de contrariedade. Dessa maneira, torna-se mais carregado energeticamente. A reclamação então se transforma numa atitude reativa, outra maneira que o ego encontra de se fortalecer. Existem muitas pessoas que estão sempre esperando pela próxima coisa contra a qual reagir para que possam se sentir irritadas ou perturbadas – e nunca demora muito até que encontrem o que procuram. "Isso é um insulto", "Como você ousa...", "Estou profundamente magoado com isso" – é o que costumam dizer. Elas são viciadas em se aborrecer e se encolerizar, enquanto os outros funcionam como uma droga. Pela reação a isso ou àquilo, afirmam e intensificam sua percepção do eu.

Um ressentimento antigo é chamado de rancor. Carregar um sentimento desse tipo é estar permanentemente no estado "contra", e é por isso que o rancor constitui uma parte significativa do ego de muita gente. Quando coletivo, ele pode sobreviver por séculos na psique de um país ou de uma tribo e alimentar um ciclo interminável de violência.

Um rancor é uma forte emoção negativa ligada a um acontecimento ocorrido no passado, algumas vezes distante, que é mantido vivo pelo pensamento compulsivo que reconta a história, na cabeça ou em voz alta, "do que alguém me fez" ou "do que alguém nos fez". Esse sentimento também é capaz de contaminar outras áreas da vida. Por exemplo, enquanto pensamos sobre o rancor e o sentimos, sua energia emocional nefasta pode distorcer nossa percepção de um acontecimento que está ocorrendo naquele momento ou influenciar a maneira como falamos com alguém no presente ou nosso comportamento em relação a essa pessoa. Um rancor profundo é suficiente para afetar vários aspectos da vida e nos manter nas garras do ego.

É preciso honestidade para verificarmos se ainda guardamos rancores, se existe alguém na nossa vida que não conseguimos perdoar completamente, um "inimigo". Caso você esteja nessa situação, tome consciência do rancor tanto no nível do pensamento quanto no nível emocional, ou seja, conscientize-se dos pensamentos que mantêm a continuidade desse sentimento negativo e sinta a emoção, que é a reação do corpo a esses pensamentos. Não tente deixar o rancor de lado. *Tentar* perdoar não dá certo. O perdão acontece de modo natural quando entendemos que o rancor não tem outro propósito a não ser fortalecer uma falsa percepção do eu, ou seja, possibilitar a existência do ego. Compreender é libertar-se. O ensinamento de Jesus sobre "perdoar os inimigos" trata, em essência, de desfazer uma das principais estruturas egoicas da mente humana.

O passado não tem força para nos impedir de viver no estado de presença agora. Apenas o rancor em relação ao passado pode fazer isso. E o que é o rancor? A bagagem de velhos pensamentos e antigas emoções.

ESTAR CERTO E TORNAR O OUTRO ERRADO

Queixar-se, assim como encontrar erros nos outros ou assumir uma atitude reativa, fortalece o sentido de limite e de separação característico do ego e do qual ele depende para sobreviver. Mas todas essas ações também o reforçam de outra maneira, dando-lhe uma sensação de superioridade que o faz se expandir. Talvez não fique claro de imediato de que modo as queixas – por exemplo, sobre trânsito, políticos, cobiça, incompetência, colegas de trabalho ou ex-cônjuge – podem nos proporcionar esse sentimento de superioridade. E há uma explicação para isso. Quando nos queixamos, subentende-se que estamos certos, enquanto a pessoa ou situação da qual reclamamos ou à qual reagimos está errada.

Nada fortalece mais o ego do que estar certo. Isso o identifica com uma posição mental – uma perspectiva, uma opinião, um julgamento, uma história. Obviamente, para termos razão, é necessário que alguém esteja errado. Assim, o ego adora apontar a falha para que possa mostrar que está certo. Em outras palavras: precisamos fazer com que os outros estejam equivocados para nos sentir mais fortes do que somos. Assim como uma pessoa, também uma situação pode ser considerada errada por meio de queixas e de algum tipo de reação, atitudes que sempre deixam subentendida a ideia "isso não deveria estar acontecendo". Estarmos certos nos coloca numa posição de superioridade moral imaginada em relação à pessoa ou à situação que está sendo julgada. É esse sentimento de superioridade que o ego adora e por meio do qual se destaca.

EM DEFESA DE UMA ILUSÃO

Vamos considerar os fatos, que são inquestionáveis. Por exemplo, se você disser "A luz se desloca mais rápido do que o som" e alguém afirmar o contrário, é óbvio que você está certo e a pessoa, errada. A simples observação de que o raio precede o trovão confirma isso. Portanto, você não apenas está certo como sabe que tem razão. Será que o ego está envolvido nisso? Talvez, mas não necessariamente. Se você está apenas afirmando algo que sabe estar correto, não há participação do ego, porque não há identificação. Identificação com o quê? Com a mente e com uma posição mental. Porém, essa identificação pode se insinuar com a maior facilidade. Se você se surpreender dizendo "Acredite em mim, eu sei" ou "Por que você nunca acredita em mim?", é porque o ego já se pronunciou. Ele se esconde na palavra "mim". Uma simples afirmação – "A luz é mais rápida do que o som" –, embora verdadeira, agora está a serviço da ilusão, do ego. Ela foi contaminada com um falso sentimento de "eu", tornou-se personalizada, convertida numa posição mental. O "eu" sente-se inferiorizado ou ofendido porque alguém não acredita no que ele disse.

O ego leva tudo para o lado pessoal. Surge a emoção, assim como a atitude defensiva, talvez até a agressão. Estamos defendendo a verdade? Não, a verdade nunca precisa de defesa. Nem a luz nem o som se importam com o que eu, você ou qualquer outra pessoa pense. Estamos protegendo a nós mesmos ou então a ilusão de nós mesmos, o substituto produzido pela mente. Seria ainda mais apropriado dizer que a ilusão está resguardando a si mesma. Se até o terreno simples e direto dos fatos está sujeito à distorção e à ilusão egoica, o que dizer do menos tangível campo das opiniões, pontos de vista e julgamentos, todos eles formas de pensamento que podem facilmente adquirir um sentimento de "eu".

Todo ego confunde opiniões e pontos de vista com fatos. Além disso, nenhum ego consegue estabelecer a diferença entre um acontecimento e sua reação a ele. O ego é sempre um mestre da percepção seletiva e da interpretação distorcida. Apenas por meio da consciência – e não do pensamento – somos capazes de diferenciar entre fato e opinião. Somente por intermédio da consciência uma pessoa consegue ver o seguinte: esta é a situação e aqui está a raiva que sinto dela. Depois, compreende que existem outras formas de abordar aquela circunstância e maneiras diferentes de entendê-la e de lidar com ela. Só com o uso da consciência conseguimos ver a totalidade da situação ou da pessoa em vez de adotarmos um ponto de vista limitado.

VERDADE: RELATIVA OU ABSOLUTA?

Fora do terreno dos fatos simples e verificáveis, a certeza "Estou certo e você errado" é perigosa para os relacionamentos pessoais, bem como para as interações entre países, tribos, religiões, e assim por diante.

No entanto, se o fato de sustentarmos que estamos certos e os outros errados é uma das maneiras que o ego tem de se sentir fortalecido, se é um distúrbio mental que perpetua a separação e o conflito entre os seres humanos, isso significa que não existem comportamentos, atos nem credos certos ou errados?

E não seria isso o relativismo (a crença de que não existe uma verdade absoluta para guiar o comportamento humano) que alguns ensinamentos cristãos contemporâneos consideram o grande mal da nossa época?

A história do cristianismo é um exemplo básico de como a crença de que estamos na isolada posição de detentores da verdade, ou seja, certos, pode corromper nossas ações e nossos comportamentos ao ponto da insanidade. Durante séculos, torturar e queimar pessoas vivas, caso sua opinião divergisse até mesmo da forma mais superficial da doutrina da Igreja ou de interpretações estreitas das Escrituras (a "verdade"), eram consideradas atitudes corretas porque as vítimas estavam "erradas". Elas estavam tão equivocadas que precisavam ser mortas. A verdade tinha mais importância do que a vida humana. E o que era a verdade? Uma história em que todos tinham de acreditar, ou seja, um punhado de pensamentos.

No grupo de um milhão de pessoas que Pol Pot, o ex-ditador do Camboja, mandou matar encontravam-se todos os que usavam óculos. Por quê? Porque, para ele, a interpretação marxista da história era a verdade absoluta, e, de acordo com sua versão da verdade, aqueles que usavam óculos pertenciam à classe instruída – eram os burgueses, os exploradores dos camponeses. Eles precisavam ser eliminados para dar espaço a uma nova ordem social. A verdade dele era também um punhado de pensamentos.

A Igreja Católica e outras religiões estão certas quando apontam o relativismo como um dos demônios do nosso tempo. No entanto, não encontraremos a verdade absoluta se a procurarmos onde ela não está: em doutrinas, ideologias, conjuntos de leis ou histórias. O que todas essas coisas têm em comum? Elas se constituem de pensamentos. Na melhor das hipóteses, o pensamento indica a verdade, contudo nunca *é* a verdade. É por isso que os budistas dizem que "o dedo apontando para a Lua não é a Lua". Todas as religiões podem ser falsas e verdadeiras, dependendo de como as usamos. Cabe a nós colocá-las a serviço do ego ou da verdade. Se acreditamos que apenas nossa religião é a verdade, nós a estamos utilizando em prol do ego. Empregado dessa maneira, o credo torna-se uma ideologia e cria uma sensação ilusória de superioridade assim como de divisão e conflito entre as pessoas. Quando trabalham para a verdade, os ensinamentos religiosos representam pontos de sinalização ou mapas que pessoas conscientes deixam no caminho para nos ajudar a despertar espiritualmente, isto é, a nos tornarmos livres da identificação com a forma.

Existe apenas uma verdade absoluta, e todas as outras verdades emanam dela. Quando a encontramos, nossas ações acontecem em sintonia com ela. A ação humana pode refletir a verdade ou a ilusão. Será que é possível colocar a verdade em palavras? Sim, porém as palavras não são a verdade. Elas apenas a indicam.

A verdade é inseparável de quem nós somos. Sim, você *é* a verdade. Sempre que a procurar em outro lugar, acabará decepcionado. O próprio Ser que é você é a verdade. Jesus tentou mostrar isso quando disse: "Eu sou o caminho, a verdade e a vida."[2] Essas palavras são um dos mais poderosos e diretos indicadores da verdade desde que entendidas corretamente. Se mal interpretadas, tornam-se um grande obstáculo. Jesus fala do Ser mais interior, da essência da identidade de cada homem ou mulher – na verdade, de toda forma de vida. Ele se refere à vida que nós somos. Alguns místicos cristãos chamam isso de "o Cristo interior"; os budistas o denominam "natureza de Buda"; para os hinduístas, é o atmã, a essência divina. Quando entramos em contato com essa dimensão que trazemos dentro de nós – e isso é nosso estado natural, e não uma conquista milagrosa –, todas as ações que praticamos e os relacionamentos que estabelecemos refletem o estado de unificação com a Vida Única que sentimos em nosso interior. Isso é amor. Leis, mandamentos, normas e regulamentos são necessários para aqueles que estão separados de quem eles são, da sua verdade interna. Essas regras destinam-se a evitar os piores excessos do ego, porém, em geral, não são capazes sequer de fazer isso. "Ame e faça o que quiser", disse Santo Agostinho. As palavras não conseguem chegar mais perto da verdade do que isso.

O EGO NÃO É PESSOAL

Num nível coletivo, o modelo mental "Estamos certos e eles estão errados" está particularmente entrincheirado naqueles lugares do mundo onde o conflito entre dois lados – que podem ser países, raças, tribos, religiões ou ideologias – é muito antigo, extremo e endêmico. Ambos estão igualmente identificados com sua própria perspectiva, sua própria "história", isto é, com o pensamento. Os dois são incapazes de perceber que outra perspectiva, outra história, possa existir e também ser válida. O escritor israelense Y. Halevi fala da possibilidade de "conciliar uma narrativa competitiva".[3] No entanto, em muitos pontos do globo, as pessoas ainda não são capazes de fazer isso ou não querem agir assim. As duas partes julgam-se detentoras da verdade. Cada uma delas se considera vítima e classifica o "outro" como o mal. Como o conceitualizam e o desumanizam, vendo-o como inimigo, são capazes de matá-lo e infligir-lhe todo tipo de violência, ainda que se trate de crianças, sem sentir sua humanidade e seu sofrimento. Ficam aprisionados numa espiral insana de cometer atos terríveis e sofrer o revide – ação e reação.

Portanto, torna-se óbvio que o ego humano em seu aspecto coletivo como "nós" contra "eles" é até mesmo mais doentio do que o "eu", o ego individual, embora o mecanismo de ambos seja idêntico. A maior parte da violência que os seres humanos infligiram a si mesmos não foi obra de criminosos nem de indivíduos mentalmente perturbados, mas de cidadãos normais, respeitáveis, a serviço do ego coletivo. Alguém poderia até dizer que, neste planeta, "normal" equivale a louco. O que se encontra na raiz dessa insanidade? A completa identificação com o pensamento e a emoção, isto é, o ego.

A cobiça, o egoísmo, a exploração, a crueldade e a violência ainda são dominantes em todas as partes do mundo. Quando não reconhecemos esses elementos como manifestações individuais e coletivas de um distúrbio básico ou de uma doença mental, caímos no erro de personalizá-los. Construímos uma identidade conceitual para um indivíduo ou grupo e dizemos: "É isto que ele é. É isto que eles são." Sempre que confundimos o ego que detectamos em alguém com sua identidade, isso é obra do nosso próprio ego, que usa essa interpretação errônea para se fortalecer mostrando que está certo e que, portanto, é superior. Ele também faz isso reagindo com condenação, indignação e, geralmente, raiva em relação ao inimigo percebido. Tudo isso lhe proporciona imensa satisfação. Fortalece a sensação de separação entre nós e o outro, cuja "alteridade", isto é, a natureza ou condição do que é outro, do que é distinto, aumenta a tal ponto que já não conseguimos sentir sua humanidade nem suas raízes na Vida Única que compartilhamos com cada ser humano, a divindade que temos em comum.

Os padrões egoicos específicos a que reagimos com mais intensidade em alguém e que classificamos erroneamente como sua identidade tendem a ser idênticos aos nossos – no entanto, ou somos incapazes de vê-los ou não queremos detectá-los em nós. Nesse sentido, temos muito a aprender com nossos inimigos. O que existe neles que mais nos incomoda ou perturba? O egoísmo? A cobiça? A necessidade de poder e controle? A falta de sinceridade, a desonestidade, a propensão à violência, o quê?

Qualquer coisa da qual nos ressentimos no outro e à qual reagimos com intensidade também existe em nós. Mas não é mais do que uma forma do ego e, como tal, é impessoal. Ela não tem nada a ver com quem a pessoa é nem com quem nós somos. Somente se a confundirmos com nossa identidade ela pode representar uma ameaça à nossa percepção do eu.

A GUERRA É UM MODELO MENTAL

Em determinados casos, precisamos nos proteger ou defender uma pessoa dos atos prejudiciais de alguém. No entanto, temos que ter cuidado para não transformar isso numa missão de "erradicação do mal", uma vez que, provavelmente, nos converteremos na própria coisa que estamos combatendo. Lutar de modo inconsciente pode nos levar à inconsciência. Há a possibilidade de que a inconsciência – o comportamento egoico desajustado – nunca seja vencida pelo ataque. Mesmo se derrotarmos o oponente, ela simplesmente se transferirá para nós ou esse adversário reaparecerá num novo disfarce. Nós fortalecemos tudo aquilo que combatemos, enquanto todas as coisas a que resistimos persistem.

Hoje em dia ouvimos com frequência a expressão "a guerra contra" isso ou aquilo. Onde quer que eu a ouça, sei que está condenada ao fracasso. Há a guerra contra as drogas, a guerra contra o crime, a guerra contra o terrorismo, a guerra contra o câncer, a guerra contra a pobreza, e assim por diante. Por exemplo, apesar da luta contra o crime e as drogas, tem havido um aumento impressionante no número de crimes e de delitos relacionados às drogas nos últimos 25 anos. Nos Estados Unidos, por exemplo, a população carcerária passou de 300 mil detentos em 1980 para 2,1 milhões em 2004.[4] A guerra contra as doenças nos deu, entre outras coisas, os antibióticos. A princípio, muitos especialistas concordam que o uso disseminado e indiscriminado desses remédios criou uma bomba-relógio e que as espécies de bactérias resistentes a eles provavelmente causarão um ressurgimento dessas moléstias, talvez até como epidemias. O *Journal of the American Medical Association* diz que nos Estados Unidos o tratamento médico é a terceira maior causa de morte depois dos males cardíacos e do câncer. A homeopatia e a medicina chinesa são dois exemplos de métodos de tratamento alternativos que não consideram as doenças inimigos e, portanto, não criam novas enfermidades.

A guerra é um modelo mental, e toda ação que resulta dela tanto pode fortalecer o inimigo (o mal percebido) ou, quando ela é vencida, criar um novo adversário, um mal que pode ser idêntico ao que foi derrotado ou até pior do que ele. Existe uma profunda inter-relação entre nosso estado de consciência e a realidade externa. Quando nos encontramos sob o domínio de um modelo mental como o da "guerra", nossas percepções se tornam extremamente seletivas e distorcidas. Em outras palavras, só vemos aquilo que queremos ver e, assim, interpretamos tudo errado. É fácil imaginar que tipo de ação decorre dessa espécie de engano. Se você não quiser imaginá-la, observe as notícias na televisão hoje à noite.

Reconheça o ego pelo que ele é: um distúrbio coletivo, a insanidade da mente humana. Quando o identificamos pelo que ele é, deixamos de interpretá-lo erroneamente como a identidade de uma pessoa. E temos mais facilidade em não adotar uma atitude reativa em relação a ele. Já não o tomamos como algo pessoal. Não existe queixa, culpa, acusação nem ação equivocada. Ninguém está errado. É apenas o ego em alguém, só isso. A compaixão surge quando compreendemos que todas as pessoas sofrem do mesmo distúrbio mental, algumas delas de forma mais aguda do que outras. Assim, paramos de nutrir o conflito que faz parte de todos os relacionamentos egoicos. E o que o alimenta? A atitude reativa: com ela, o ego prospera.

QUEREMOS PAZ OU CONFLITO?

Desejamos paz. Não existe ninguém que não a queira. Ainda assim, há algo em nós que pede o conflito, o enfrentamento. Talvez você não seja capaz de perceber isso neste instante. Pode ser que tenha que esperar por uma situação ou até mesmo por um pensamento que disparem uma reação de sua parte: alguém que o acuse de algo, que não o reconheça, que se intrometa no seu território, que questione sua maneira de fazer as coisas, que provoque uma discussão sobre dinheiro, etc. Diante de uma circunstância desse tipo, você consegue sentir o imenso impulso de força que começa a atravessá-lo, o medo, que talvez esteja sendo mascarado por raiva ou hostilidade? É capaz de ouvir sua própria voz se tornando áspera, estridente? Tem consciência de que sua mente está correndo para defender a posição dela, justificar, atacar, condenar? Em outras palavras, tem capacidade de despertar nesse momento de inconsciência? Sente que algo em você está em guerra, alguma coisa que se vê ameaçada e quer sobreviver a todo custo, que precisa do confronto para afirmar a própria identidade como o personagem vitorioso dentro dessa produção teatral? Consegue sentir que existe algo em você que preferiria estar certo a estar em paz?

ALÉM DO EGO: NOSSA VERDADEIRA IDENTIDADE

Quando o ego está em guerra, saiba que isso não passa de uma ilusão que está lutando para sobreviver. Essa ilusão pensa ser nós. A princípio, não é fácil *estarmos* lá como testemunhas, no estado de presença, sobretudo quando o ego se encontra nessa situação ou quando um padrão emocional do passado é ativado. No entanto, depois que sentimos o gosto dessa experiência, nosso poder de atingir o estado de presença começa a crescer e o ego perde o domínio que tem sobre nós. E, assim, chega à nossa vida um poder que é muito maior do que o ego, maior do que a mente. Tudo de que precisamos para nos livrar do ego é estarmos conscientes dele, uma vez que ele e a consciência são incompatíveis. A consciência é o poder oculto dentro do momento presente. É por isso que podemos chamá-la de *presença*. O propósito supremo da existência humana, isto é, de cada um de nós, é trazer esse poder ao mundo. E é também por isso que nossa libertação do ego não pode ser transformada numa meta a ser atingida em algum ponto no futuro. Somente a presença é capaz de nos libertar dele, pois só podemos estar presentes agora – e não ontem nem amanhã. Apenas ela consegue desfazer o passado em nós e assim transformar nosso estado de consciência.

O que é a compreensão da espiritualidade? A crença de que somos espíritos? Não, isso é um pensamento. De fato, ele está um pouco mais próximo da verdade do que a ideia de que somos a pessoa descrita na nossa certidão de nascimento, mas, ainda assim, é um pensamento. A compreensão da espiritualidade é ver com clareza que o que nós percebemos, vivenciamos, pensamos ou sentimos não é, em última análise, quem somos, que não podemos nos encontrar em todas essas coisas, que são transitórias e se acabam continuamente. É provável que Buda tenha sido o primeiro ser humano a entender isso, e dessa maneira *anata* (a noção do não eu) se tornou um dos pontos centrais dos seus ensinamentos. E, quando Jesus disse "Negue-se a si mesmo", sua intenção era afirmar: negue (e assim desfaça) a ilusão do eu. Se o eu – o ego – fosse de fato quem somos, seria um absurdo "negá-lo".

O que permanece é a luz da consciência, sob a qual percepções, sensações, pensamentos e sentimentos vêm e vão. Isso é o Ser, o mais profundo e verdadeiro eu. Quando sabemos que somos isso, qualquer coisa que ocorra na nossa vida deixa de ter importância absoluta para adquirir importância apenas relativa. Respeitamos os acontecimentos, mas eles perdem sua seriedade plena, seu peso. A única coisa que faz diferença realmente é isto: podemos sentir nosso Ser essencial, o "eu sou", como o pano de fundo da nossa vida o tempo todo? Para ser mais exato, conseguimos sentir o "eu sou" que somos neste momento? Somos capazes de sentir nossa identidade essencial como consciência propriamente dita? Ou estamos nos perdendo no que acontece, na mente, no mundo?

TODAS AS ESTRUTURAS SÃO INSTÁVEIS

Seja qual for a forma que assuma, a motivação inconsciente por trás do ego é fortalecer a imagem de quem nós pensamos que somos, o eu fantasma que passa a existir quando o pensamento – uma enorme bênção, assim como uma grande maldição – começa a dominar e a obscurecer a simples, e ainda assim profunda, alegria da conectividade com o Ser, a Origem, Deus. Independentemente do comportamento que o ego manifeste, a força motivadora oculta é sempre a mesma: a incessante necessidade de aparecer, ser especial, estar no controle, ter poder, ganhar atenção. E, é claro, a necessidade de experimentar uma sensação de isolamento, ou seja, de oposição, de ter inimigos.

O ego sempre quer alguma coisa das pessoas ou das situações. No caso dele há sempre um plano oculto, um sentimento de "ainda não é o bastante", de insuficiência e falta, que precisa ser atendido. Ele usa as pessoas e situações para conseguir o que deseja e, até mesmo quando é bem-sucedido, nunca fica satisfeito por muito tempo. Em geral, vive frustrado com seus objetivos – na maior parte do tempo, a lacuna entre o "eu quero" e "o que acontece" torna-se uma fonte constante de aborrecimento e angústia. A clássica canção dos Rolling Stones *(I Can't Get No) Satisfaction* ("Não consigo ter satisfação") é sua música. A emoção subjacente que governa todas as atividades do ego é o medo. O medo de não ser ninguém, o medo da não existência, o medo da morte. Todas as suas ações, enfim, destinam-se a eliminar esse temor. No entanto, o máximo que o ego consegue fazer é encobri-lo temporariamente, seja com um relacionamento íntimo, a aquisição de um novo bem ou tendo um bom desempenho numa coisa ou noutra. A ilusão nunca nos satisfaz. Apenas a verdade de quem nós somos, se compreendida, nos libertará.

Por que o medo? Porque o ego surge pela identificação com a forma e, na verdade, ele sabe que nenhuma forma é permanente, que todas elas são transitórias. Assim, há sempre um sentimento de insegurança ao seu redor, mesmo que externamente ele pareça confiante.

Certa vez, quando eu caminhava com um amigo numa linda reserva natural próxima a Malibu, na Califórnia, chegamos às ruínas do que fora uma casa de campo, destruída pelo fogo décadas atrás. Ao nos aproximarmos da propriedade, toda cercada de árvores e de plantas magníficas, vimos, ao lado da trilha, uma placa que as autoridades do parque haviam colocado ali. Nela estava escrito: "Perigo. Todas as estruturas são instáveis." Comentei com meu amigo: "Este é um sutra profundo." E ficamos parados, impressionados. Depois que compreendemos e aceitamos que todas as estruturas (formas) são efêmeras, até mesmo os materiais aparentemente sólidos, a paz surge dentro de nós. Isso acontece porque o reconhecimento da impermanência de todas as formas nos desperta para a dimensão do que não tem forma no nosso interior, o que está além da morte. Jesus chamou isso de "vida eterna".

A NECESSIDADE DO EGO DE SE SENTIR SUPERIOR

Existem muitas formas sutis de ego que, mesmo sendo tênues, podemos observar com facilidade nas pessoas e, mais importante, em nós. Lembre-se: no momento em que nos tornamos conscientes do nosso ego, essa consciência emergente é quem somos além do ego, o "eu" profundo. O reconhecimento do falso já é o surgimento do real.

Por exemplo, imagine que você está prestes a contar uma novidade a alguém. "Já sabe o que aconteceu? Não? Vou lhe dizer." Se estiver alerta o suficiente, no pleno estado de presença, será capaz de detectar um rápido sentimento de satisfação dentro de si imediatamente antes de dar a notícia, até mesmo se ela for má. Isso ocorre porque, por um breve momento, existe, aos olhos do ego, um desequilíbrio a seu favor na relação entre você e a outra pessoa. Durante esse instante, você sabe *mais* do que ela. Essa satisfação provém do ego e ela surge porque sua percepção do eu é mais forte em comparação com a outra pessoa. Ainda que o interlocutor seja o presidente ou o papa, você se sente superior a ele naquele momento porque sabe *mais*. Esse é um dos motivos que fazem com que muita gente se vicie em fofoca. Além disso, a fofoca costuma carregar um elemento de crítica e julgamento malicioso dos outros. Dessa forma, também fortalece o ego por meio da superioridade moral imaginada, que fica implícita em toda apreciação negativa que fazemos de alguém.

Se uma pessoa tem mais, sabe mais ou pode fazer mais do que nós, o ego se sente ameaçado porque o sentimento de "menos" diminui sua percepção imaginada do eu em relação a ela. Assim, ele pode tentar se recuperar procurando, de algum modo, criticar, reduzir ou menosprezar o valor das capacidades, dos bens ou dos conhecimentos desse indivíduo. Ou pode mudar de estratégia: em vez de competir, vai se valorizar por meio da associação com essa pessoa, caso ela seja considerada importante aos olhos dos outros.

EGO E FAMA

O fenômeno bem conhecido de "citar nomes", a menção casual de pessoas que conhecemos, faz parte da estratégia do ego para ganhar uma identidade superior aos olhos dos outros e, portanto, aos seus próprios olhos mediante a associação com alguém "importante". O mal de ser famoso é que a verdadeira identidade do indivíduo torna-se totalmente obscurecida por uma imagem mental coletiva. A maioria das pessoas que se aproxima de alguém célebre quer melhorar a própria identidade – a imagem mental de quem elas são – por meio dessa associação. Talvez elas até ignorem o fato de que não estão interessadas no indivíduo famoso, e sim apenas em fortalecer sua percepção ficcional do eu. Acreditam que, por meio dele, podem ser mais. Tentam se completar por intermédio dele ou da sua imagem mental como alguém de renome, uma identidade conceitual coletiva inquestionável.

A supervalorização absurda da fama é simplesmente uma das muitas manifestações da loucura egoica do nosso mundo. Algumas celebridades caem no mesmo erro e se identificam com a ficção coletiva, isto é, com a imagem que as pessoas e a mídia criaram delas, e começam a se considerar de fato superiores aos reles mortais. O resultado disso é que elas se tornam cada vez mais alienadas de si mesmas e dos outros, mais infelizes e mais dependentes da continuidade da sua popularidade. Cercadas apenas por pessoas que se alimentam da sua autoimagem inflada, mostram-se incapazes de estabelecer relacionamentos verdadeiros.

Albert Einstein, que foi admirado quase como sobre-humano e acabou se tornando uma das pessoas mais famosas do planeta, nunca se identificou com a imagem que a mente coletiva criou dele. Permaneceu humilde, sem ego. E chegou a dizer o seguinte: "... uma contradição grotesca entre o que as pessoas consideram ser minhas conquistas e habilidades e a realidade de quem eu sou e do que sou capaz."[5]

É por esse motivo que um indivíduo famoso tem dificuldade para estabelecer um relacionamento verdadeiro com as pessoas. Uma relação autêntica é aquela que não é dominada pelo ego, que está sempre voltada para a construção da sua imagem e para a busca do eu. Num relacionamento genuíno, há um fluxo de atenção plena e receptiva que é dirigido à outra pessoa, e nele não cabe nenhum outro querer. Essa atenção plena é a presença – o pré-requisito para todo relacionamento autêntico. O ego age sempre da seguinte forma: ou quer alguma coisa ou, se acredita que não existe nada para obter do outro, assume um estado de profunda indiferença e não se preocupa com ele. Assim, os três estados predominantes dos relacionamentos egoicos são: o querer, o querer insatisfeito (raiva, ressentimento, acusação, queixa) e a indiferença.

Capítulo quatro

INTERPRETAÇÃO DE PAPÉIS: AS MUITAS FACES DO EGO

Um ego que quer alguma coisa do outro – e que ego não deseja isso – em geral representa um tipo de papel para satisfazer suas "necessidades", que podem ser: ganhos materiais; sensação de poder, de superioridade e de ser especial; além de um sentimento de gratificação, seja física ou psicológica. Em geral, as pessoas não têm nenhuma consciência dos papéis que representam. Elas são esses papéis. Alguns deles são sutis, enquanto outros são óbvios, exceto para quem os interpreta. Há aqueles criados com o único objetivo de atrair a atenção de alguém. O ego prospera quando angaria a atenção dos outros, porque ela é, acima de tudo, uma energia psíquica. Como não sabe que a origem de toda a energia está dentro da pessoa, ele a procura externamente. Porém, sua busca não é pela atenção *sem forma* – a presença –, e sim pela atenção *numa forma*, como reconhecimento, elogio e admiração. Certas vezes, só o fato de ser notado de alguma maneira já vale como um reconhecimento da sua existência.

Uma pessoa tímida que tem medo da atenção dos outros não está livre do ego – nesse caso, o ego é ambivalente, pois tanto quer quanto teme a atenção externa. O temor é de que a atenção possa tomar a forma de desaprovação ou crítica, isto é, algo que diminua a percepção do eu em vez de aumentá-la. Portanto, o medo que a pessoa tímida tem da atenção é maior do que a necessidade que tem dela. A timidez costuma ser acompanhada de uma autoimagem predominantemente negativa, a crença de ser inadequado. Qualquer percepção conceitual do eu – ver a si mesmo como isso ou aquilo – é o ego, seja ela favorável (eu sou o maior) ou desfavorável (não sou bom). Por trás de toda autoimagem positiva há o medo de não ser bom o bastante. Por trás de toda autoimagem negativa está o desejo de ser o maior ou melhor do que os outros. Oculto pelo confiante e contínuo sentimento de superioridade do ego encontra-se o medo inconsciente de ser inferior. De modo inverso, o ego tímido, que se sente inapropriado e menor, tem um forte desejo camuflado de superioridade. Muitas pessoas flutuam entre sentimentos de inferioridade e superioridade, dependendo da situação e dos indivíduos com quem entram em contato. Tudo o que devemos saber e observar em nós mesmos é isto: sempre que nos sentirmos superiores ou inferiores a alguém, isso é o ego em ação.

VILÃO, VÍTIMA, AMANTE

Quando não conseguem obter elogios nem admiração, alguns egos procuram outras formas de chamar a atenção ou interpretam papéis para consegui-la. Caso não obtenham atenção positiva, podem buscar atenção negativa – por exemplo, provocando uma reação desagradável em alguém. Há inclusive casos de crianças que fazem isso. Elas adotam um mau comportamento para se fazer notar. A interpretação de papéis negativos torna-se particularmente acentuada quando o ego é intensificado por um sofrimento emocional do passado que deseja se renovar com uma experiência diferente. Alguns egos cometem crimes na sua busca pela fama. Eles procuram atenção por meio da notoriedade e da condenação por parte das pessoas. "Por favor, me diga que eu existo, que não sou insignificante" parece ser sua mensagem. Essas formas patológicas do ego são apenas versões mais extremas dos egos normais.

Um papel muito comum é o de vítima, e a forma de atenção que o ego busca é a solidariedade, a piedade ou o interesse dos outros pelos "meus" problemas, por "mim e minha história". Ver-se como vítima é um componente de muitos padrões egoicos, como queixar-se, sentir-se ofendido, ultrajado, e assim por diante. É claro que, depois que uma pessoa se identifica com uma história em que assume o papel de vítima, ela não quer que isso termine, e assim, como muitos terapeutas sabem, o ego não deseja o fim dos seus "problemas" porque eles fazem parte da sua identidade. Se ninguém deseja escutar sua triste história, a pessoa pode contá-la mentalmente para si mesma quantas vezes tiver vontade e sentir pena de si própria. Dessa forma, sua identidade será a de alguém que não está sendo tratado com justiça pela vida, por outros indivíduos, pelo destino ou por Deus. Essa atitude define a imagem que ela faz de si mesma, torna-a alguém – e isso é tudo o que importa ao ego.

No início de muitos relacionamentos chamados românticos, a interpretação de papéis é bastante comum no sentido de atrair e manter a pessoa que é percebida pelo ego como aquela que fará o indivíduo feliz, especial e satisfará todas as suas necessidades. "Eu interpreto quem você quer que eu seja, enquanto você representa quem eu desejo que você seja." Esse é um acordo implícito e inconsciente. No entanto, a interpretação de papéis é um trabalho árduo que as pessoas não conseguem sustentar por um tempo indefinido, sobretudo depois que começam a viver juntas. O que vemos quando esses papéis se acabam? Na maioria dos casos, ainda não a verdadeira essência do ser, mas aquilo que a encobre: o ego em estado natural, despido dos seus disfarces, com os sofrimentos que traz do passado e seu querer insatisfeito, que agora se transforma em raiva, provavelmente direcionada ao parceiro ou à parceira por ter deixado de remover o medo subjacente e o sentimento de insatisfação que é uma parte intrínseca da percepção egoica do eu.

Na maior parte das vezes, aquilo que costumamos chamar de "apaixonar-se" é uma intensificação do desejo e da necessidade do ego. Ficamos viciados na outra pessoa ou na sua imagem. Isso não tem nada a ver com o verdadeiro amor, que implica não querer nada. A língua espanhola é a mais honesta com relação às noções convencionais do amor: *te quiero* significa tanto "quero você" quanto "te amo". A expressão "te amo", que não tem essa ambiguidade, dificilmente é usada – talvez porque o verdadeiro amor seja de fato muito raro.

ABANDONANDO AS DEFINIÇÕES PESSOAIS

À medida que as culturas tribais evoluíram para as antigas civilizações, determinadas funções começaram a ser atribuídas às pessoas: governador, sacerdote, guerreiro, agricultor, mercador, artesão, operário, etc. Desenvolveu-se um sistema de classes. A função de cada um, que, na maioria das vezes, já estava decidida desde o nascimento, estabelecia quem a pessoa era aos olhos dos outros, assim como aos seus próprios olhos. A função tornou-se um papel, mas não era reconhecida como tal: ela era o próprio indivíduo ou o que este pensava que era. Naqueles tempos, apenas raros seres, como Buda e Jesus, viam a completa irrelevância das castas e das classes sociais e consideravam-nas identificações com a forma. Eles foram capazes de entender também que essa identificação com o que é temporal e condicionado obscurece a luz do que é eterno e não condicionado e que brilha em cada ser humano.

No mundo contemporâneo, as estruturas sociais são menos rígidas, menos definidas, do que costumavam ser. Embora as pessoas, em sua maioria, ainda sejam condicionadas pelo ambiente, elas não são mais automaticamente investidas de uma função e de uma identidade. Na verdade, hoje em dia, é crescente o número de indivíduos que se sentem confusos quanto ao lugar ao qual se encaixam, ao seu propósito e até mesmo a quem eles são.

Costumo parabenizar as pessoas quando elas me dizem: "Não sei mais quem eu sou." Então elas ficam perplexas e me perguntam se é bom estar confuso. Eu lhes peço que reflitam sobre isso. O que significa estar confuso? "Não sei" não é sinônimo de confusão. Confusão é: "Eu não sei, mas deveria saber" ou "Não sei, porém preciso saber". É possível abandonarmos a crença de que devemos ou precisamos saber quem somos? Em outras palavras, podemos parar de considerar definições conceituais que nos deem uma percepção do eu? Você, por exemplo, é capaz de deixar de examinar o *pensamento* sobre uma identidade? Quando colocamos de lado a convicção de que necessitamos saber quem somos, o que acontece com a confusão? De repente ela acaba. No momento em que aceitamos de fato de que não temos esse conhecimento, entramos num estado de paz e clareza que está mais próximo de quem somos verdadeiramente do que o pensamento jamais poderá estar. Usar o pensamento para nos definir é algo que nos limita.

PAPÉIS PREESTABELECIDOS

É claro que pessoas diferentes desempenham funções distintas neste mundo. Não poderia ser de outra maneira. No que se refere à capacidade intelectual e física – conhecimento, habilidades, talentos e níveis de energia –, os seres humanos apresentam desigualdades significativas. O que importa não é a função que cumprimos, mas se nossa identificação com ela chega a tal ponto que nos envolve e se torna um papel que interpretamos. Sempre que assumimos papéis, estamos inconscientes. No instante em que nos flagramos fazendo isso, esse reconhecimento cria um espaço entre nós e o papel. É o começo da libertação. Quando estamos identificados ao máximo com um papel, confundimos um padrão de comportamento com quem nós somos e nos levamos muito a sério. Também designamos automaticamente para os outros funções que se ajustam às nossas. Por exemplo, quando nos consultamos com médicos que se identificam de forma total com sua profissão, para eles não somos seres humanos, e sim pacientes ou casos clínicos.

Embora as estruturas sociais do mundo contemporâneo sejam menos rígidas do que as das culturas antigas, ainda existem muitas funções (ou papéis) preestabelecidas com as quais as pessoas se identificam de imediato e que, assim, se transformam numa parte do ego. Isso faz com que as interações humanas sejam privadas de sua autenticidade e se tornem desumanas e alienantes. Os papéis predeterminados podem nos dar uma sensação de identidade relativamente agradável, mas, no fim das contas, nos perdemos em meio a eles. As funções exercidas em organizações hierarquizadas, como os meios militares, a Igreja, instituições governamentais e grandes corporações, tendem a fazer com que as pessoas se tornem identidades representadas. As relações humanas genuínas passam a ser impossíveis quando nos confundimos com um papel.

Há papéis preestabelecidos que podemos chamar de arquétipos sociais. Alguns deles são: o de esposa de classe média (não tão comum quanto costumava ser, mas ainda disseminado); o do machão; a da mulher sedutora; o do artista "não conformista"; e o de uma pessoa "culta", aquela que exibe seus conhecimentos de literatura, artes plásticas e música da mesma maneira que outros indivíduos ostentam uma roupa sofisticada ou um automóvel caro. Há também o papel universal do adulto. Quando o representamos, o que predomina na visão que temos de nós mesmos e da vida é a seriedade A espontaneidade, a descontração e a alegria não fazem parte dessa interpretação.

O movimento hippie, que se originou na Costa Oeste dos Estados Unidos na década de 1960 e depois se difundiu pelo mundo ocidental, surgiu da rejeição que muitos jovens da época manifestaram contra arquétipos sociais, papéis, padrões preestabelecidos de comportamento e estruturas sociais e econômicas baseadas no ego. Eles se recusavam a desempenhar os papéis que os pais e a sociedade queriam lhes impor. Esse movimento coincidiu com os horrores da Guerra do Vietnã. Durante esse conflito morreram mais de 57 mil jovens americanos e 3 milhões de vietnamitas. Por meio dele, a insanidade do sistema e do modelo mental dominante ficou explícita. Nos anos 1950, a maioria dos americanos ainda era extremamente conformista em sua forma de pensar e agir, mas, na década seguinte, milhões deles começaram a rejeitar sua identificação com uma identidade conceitual coletiva cuja loucura se tornara óbvia. O movimento hippie representou um afrouxamento das estruturas egoicas rígidas que até então predominavam na psique da humanidade. Embora tenha se deturpado e acabado, ele deixou uma abertura, e não só para seus seguidores. Seu surgimento permitiu que a antiga sabedoria e a espiritualidade oriental entrassem no Ocidente e cumprissem uma função essencial no despertar da consciência mundial.

PAPÉIS TEMPORÁRIOS

Se estivermos despertos o bastante, conscientes o suficiente, para sermos capazes de observar como interagimos com as pessoas, conseguiremos detectar mudanças sutis na nossa fala, na nossa atitude e no nosso comportamento, dependendo do indivíduo com quem estivermos em contato. A princípio, pode ser mais fácil observarmos isso nos outros, porém, depois, também constataremos isso em nós mesmos. A maneira como falamos com o presidente da empresa pode ser sutilmente diferente do modo como nos dirigimos ao faxineiro. A forma como conversamos com uma criança talvez não seja igual à maneira como nos comunicamos com um adulto. Por que isso acontece? Nós interpretamos papéis. Não somos nós mesmos, nem com o presidente, nem com o faxineiro, nem com a criança. Quando entramos numa loja, num restaurante, num banco, num posto do correio, podemos estar nos encaixando em papéis sociais preestabelecidos. Acabamos nos tornando um cliente e falando e agindo como tal. E, nessa condição, seremos atendidos pelo vendedor, pelo garçom ou pelo recepcionista, que também estarão desempenhando um papel. Uma série de padrões condicionados de comportamento entra em ação entre duas pessoas para determinar a natureza da interação. Os elementos que estão interagindo não são os seres humanos, e sim imagens mentais conceituais. Quanto mais identificadas as pessoas estão com seu respectivos papéis, menos autênticos se tornam os relacionamentos.

Temos uma imagem mental não só de quem a outra pessoa é, mas também de quem *nós* somos, sobretudo em relação ao indivíduo com quem estamos interagindo. Portanto, não somos nós que estamos nos relacionando com aquela pessoa: quem pensamos que somos é que está se relacionando com quem acreditamos que a outra pessoa é e vice-versa. A imagem conceitual que nossa mente gerou de nós mesmos está se relacionando com sua própria criação, que é a imagem conceitual que ela produziu da outra pessoa. A mente da outra pessoa provavelmente fez a mesma coisa, então cada interação egoica entre dois indivíduos é, na realidade, a interação entre quatro identidades conceituais produzidas pela mente que são, em última análise, fictícias. Portanto, não é de surpreender que haja tanto conflito nos relacionamentos. Não *existe* nenhuma relação verdadeira.

O MONGE COM AS PALMAS DAS MÃOS SUADAS

Kasan, um mestre e monge zen, ia oficiar o funeral de um nobre famoso. Enquanto esperava pela chegada do governador da provência e de outros senhores e senhoras, percebeu que estava com as palmas das mãos suadas.

No dia seguinte, ele reuniu seus discípulos e confessou que não estava pronto para ser um professor de verdade. Explicou-lhes que ainda não conseguia adotar o mesmo tipo de comportamento diante de todos os seres humanos, fosse a pessoa um mendigo ou um rei. Não era capaz de considerar os papéis sociais e as identidades conceituais e ver a igualdade do ser em todos os indivíduos. Depois, ele partiu e se tornou o aprendiz de outro mestre. Oito anos mais tarde, retornou iluminado à companhia de seus antigos discípulos.

A FELICIDADE COMO UM PAPEL VERSUS A FELICIDADE VERDADEIRA

– Como vai você?
– Ótimo. Não poderia estar melhor.
Verdadeiro ou falso?

Em muitos casos, a felicidade é um papel que as pessoas representam. Um exterior sorridente pode ocultar um grande sofrimento. Depressão, esgotamento e reações exageradas são comuns quando a infelicidade é encoberta por sorrisos, sempre que há negação, algumas vezes até mesmo para si próprio, de que existe muita infelicidade.

Quando nos sentimos infelizes, primeiro precisamos reconhecer esse fato. E nunca afirmarmos: "Sou infeliz." A infelicidade não tem nada a ver com quem nós somos. Se você estiver passando por isso, diga: "Há infelicidade em mim." Depois, analise o que está acontecendo na sua vida. Uma situação em que você se encontra pode ter algo a ver com essa sensação. Talvez seja preciso fazer alguma coisa para mudá-la ou para sair dela. Se não houver nenhuma solução ao seu alcance, encare isso e afirme: "Bem, é o que está acontecendo neste momento. Não posso nem aceitar isso nem me sentir infeliz." A causa primária da infelicidade nunca é a situação, mas nossos pensamentos sobre ela. Portanto, tome consciência dos pensamentos que estão lhe ocorrendo. Separe-os da situação, que é sempre neutra – ela é como é. Existe a circunstância ou o fato, e você terá seus pensamentos a respeito deles. Em vez de criar histórias, atenha-se aos fatos. Por exemplo: "Estou arruinado" é uma história. Ela limita a pessoa e a impede de tomar uma providência eficaz. "Tenho 50 centavos na minha conta" é um fato. Encarar os fatos é sempre fortalecedor. Tome consciência de que, na maioria das vezes, o que você pensa é o que cria suas emoções – observe a ligação entre eles. Em vez de ser seus pensamentos e suas emoções, seja a consciência por trás deles.

Não busque a felicidade. Se fizer isso, não a encontrará porque buscar é a antítese dela. A felicidade é sempre evasiva, contudo você pode se libertar da infelicidade agora, encarando-a em vez de criar histórias sobre ela. A infelicidade encobre nosso estado natural de bem-estar e nossa paz interior, que são a origem da verdadeira felicidade.

PATERNIDADE E MATERNIDADE: PAPEL OU FUNÇÃO?

Muitos adultos interpretam papéis quando falam com os filhos pequenos. Usam palavras e sons idiotas. Tratam a criança com superioridade, e não de igual para igual. O fato de que, temporariamente, sabemos mais ou somos maiores não quer dizer que a criança não seja igual a nós. A maioria dos adultos, em determinada altura da vida, encontra-se no papel de pai ou mãe, que é universal. A questão da maior importância é: somos capazes de desempenhar essa função e de executá-la bem sem nos identificarmos, isto é, sem que ela se torne um papel? Parte da função necessária de ser pai ou mãe é atender as necessidades da criança, impedindo que ela corra perigo. E, às vezes, dizer-lhe o que fazer e o que não fazer. No entanto, quando ser pai ou mãe se torna uma identidade, ou seja, sempre que nossa percepção do eu é, totalmente ou em grande parte, extraída disso, a função ganha uma ênfase exagerada e nos domina. Prover as necessidades dos filhos assume proporções excessivas e os torna mimados, enquanto impedi-los de correr perigo se transforma em superproteção e interfere na necessidade que eles sentem de explorar o mundo e experimentar coisas novas por si mesmos. Dizer às crianças o que fazer e o que não fazer passa a ser controlar, reprimir.

Além disso, a identidade que interpreta um papel permanece atuante por um longo tempo, mesmo depois que essas funções em particular já não são mais necessárias. Assim, pais e mães não conseguem deixar de ser pais até mesmo quando o filho já é adulto. Eles não são capazes de se desvincular da necessidade de serem imprescindíveis a ele. Ainda que o filho já tenha 40 anos de idade, não conseguem abandonar a ideia "Eu sei o que é melhor para você". O papel de pai e mãe continua a ser interpretado compulsivamente, por isso não existe um relacionamento autêntico. Os pais se definem por esse papel e, de forma inconsciente, têm medo de perder a identidade se o abandonarem. Se seu desejo de controlar ou influenciar as ações do filho adulto é contrariado – como costuma acontecer –, eles começam a criticar ou mostrar sua desaprovação ou tentam fazer com que o filho se sinta culpado, tudo numa tentativa não consciente de preservar seu papel, sua identidade. A impressão é de que estão preocupados com o filho, e eles próprios acreditam nisso, mas, na verdade, sua intenção é apenas conservar seu papel-identidade. Todas as motivações egoicas são voltadas para a autovalorização e o interesse do próprio eu – e algumas vezes elas se disfarçam de forma muito inteligente, até mesmo para a pessoa em quem o ego está atuando.

Os pais que se identificam com esse papel também podem tentar se tornar mais completos por meio dos filhos. Assim, a necessidade que o ego tem de manipular os outros para que satisfaçam seu contínuo sentimento de carência é dirigida a eles. Se a maioria dos pressupostos e das motivações inconscientes por trás da compulsão dos pais de manipular os filhos se tornasse consciente e fosse dita, provavelmente incluiria algumas mensagens como estas, senão todas elas: "Quero que você alcance o que eu nunca consegui. Desejo que você seja alguém aos olhos do mundo para que eu também possa ser alguém por seu intermédio. Não me decepcione. Eu me sacrifiquei tanto por você. O objetivo da minha desaprovação em relação a você é fazê-lo se sentir tão culpado e constrangido que, finalmente, atenda meus desejos. Sem contar que sei o que é melhor para você. Eu o amo e continuarei amá-lo se você fizer o que sei que é certo para sua vida."

Quando fazemos com que essas motivações se tornem conscientes, constatamos na hora quanto elas são absurdas. O ego que está por trás delas fica visível, assim como seu distúrbio. Alguns pais com quem falei compreenderam imediatamente: "Meu Deus, era isso que eu vinha fazendo?" Depois que vemos o que estamos fazendo ou fizemos, percebemos também a futilidade de tudo isso, e esse padrão inconsciente chega ao fim por si mesmo. A consciência é o maior agente para a mudança.

Se seus pais estão agindo assim com você, não lhes diga que eles estão inconscientes e que são subjugados pelo ego. É provável que essa afirmação os deixe ainda mais inconscientes, pois o ego adotará uma postura defensiva. Basta que você reconheça que isso é o ego dentro deles e não o que eles são. Os padrões egoicos, até mesmo os mais antigos, algumas vezes se dissolvem de uma forma quase milagrosa quando não nos opomos a eles internamente. A oposição lhes dá uma força renovada. No entanto, ainda que não desapareçam, você será capaz de aceitar o comportamento dos seus pais com compaixão, sem a necessidade de reagir a ele, isto é, sem personalizá-lo.

Tome consciência também dos pressupostos ou das expectativas inconscientes que estão por trás das suas antigas e habituais reações a seus pais. "Eles deveriam aprovar o que eu faço. Tinham que me entender e me aceitar como sou." Verdade? Por quê? O fato é que eles não aceitam porque não conseguem. Sua consciência está em evolução, ainda não deu o salto quântico para o nível de estar ciente. Eles ainda não são capazes de abandonar a identificação com seu papel. E você dirá: "Sim, mas não posso me sentir feliz e à vontade com quem eu sou, a menos que tenha a aprovação e a compreensão deles." Verdade? Que diferença faz a aprovação ou a desaprovação deles em relação a quem você é? Todos esses pressupostos não analisados causam um grande número de emoções negativas, uma significativa quantidade de infelicidade desnecessária.

Fique alerta. Será que alguns dos pensamentos que passam pela sua cabeça são a voz interiorizada do seu pai ou da sua mãe dizendo talvez algo parecido com "Você não é bom o bastante, nunca chegará a ser alguma coisa" ou fazendo outro julgamento mental? Se você estiver consciente, será capaz de reconhecer essa voz pelo que ela é: um velho pensamento condicionado pelo passado. Além disso, não precisará mais acreditar em todos os seus pensamentos. Verá que se trata de algo antigo, nada mais. Consciência significa presença, e apenas ela pode dissolver o passado inconsciente dentro de nós.

"Se você pensa que é tão iluminado, passe uma semana com seu pais", disse o mestre espiritual Ram Dass. Esse é um bom conselho. O relacionamento com os pais não só é a interação primordial que dá o tom para todas as interações subsequentes como também se constitui num bom teste para nosso grau de presença. Quanto maior for o passado compartilhado existente num relacionamento, mais presentes precisamos estar. Caso contrário, seremos forçados a reviver o passado repetidas vezes.

SOFRIMENTO CONSCIENTE

Se você tem filhos pequenos, ofereça-lhes toda a ajuda, orientação e proteção que estiver ao seu alcance. Contudo, mais importante ainda é: dê-lhes espaço – espaço para que possam existir. Você os trouxe ao mundo, mas eles não são "seus". A crença "Eu sei o que é melhor para você" pode ser adequada quando as crianças são muito pequenas; porém, à medida que elas crescem, essa ideia vai deixando de ser verdadeira. Quanto mais expectativas você tiver em relação ao rumo que a vida delas deve tomar, mais estará sendo guiado pela sua mente em vez de estar presente para elas. No fim das contas, seus filhos cometerão erros e sentirão algum tipo de sofrimento, assim como acontece com todos os seres humanos. Na realidade, talvez eles estejam equivocados apenas do seu ponto de vista. O que você considera um erro pode ser exatamente aquilo que seus filhos precisam fazer ou sentir. Proporcione o máximo de ajuda e orientação, porém entenda que às vezes você terá que permitir que eles falhem, sobretudo quando estiverem se tornando adultos. Pode ser que às vezes você também tenha que deixá-los sofrer. A dor pode surgir na vida deles de repente ou como uma consequência dos seus próprios erros.

Não seria maravilhoso se você pudesse poupá-los de todo tipo de dissabor? Não, não seria. Eles não evoluiriam como seres humanos e permaneceriam superficiais, identificados com a forma exterior das coisas. A dor nos leva mais fundo. O paradoxo é que, apesar de ser causada pela identificação com a forma, ela também corrói essa identificação. Uma grande parte do sofrimento é provocada pelo ego, embora, no fim das contas, ele destrua o ego – mas não até que estejamos sofrendo conscientemente.

A humanidade está destinada a superar o sofrimento, contudo não da maneira como o ego imagina. Um dos seus numerosos pressupostos errôneos, um dos seus muitos pensamentos enganosos é: "Eu não deveria ter que sofrer." Algumas vezes, essa ideia é transferida para alguém próximo a nós: "Meu filho não deveria ter que sofrer." Esse pensamento está na raiz do sofrimento, que tem um propósito nobre: a evolução da consciência e o esgotamento do ego. O homem na cruz é uma imagem arquetípica. Ele é todo homem e toda mulher. Quando resistimos ao sofrimento, o processo se torna lento porque a resistência cria mais ego para ser eliminado. No momento em que o aceitamos, porém, o processo se acelera porque passamos a sofrer de modo consciente. Conseguimos aceitar a dor para nós mesmos ou para outra pessoa, como um filho ou um dos pais. Em meio ao sofrimento consciente existe já a transmutação. O fogo do sofrimento transforma-se na luz da consciência.

O ego diz: "Eu não deveria ter que sofrer", e esse pensamento aumenta nossa dor. Ele é uma distorção da verdade, que é sempre paradoxal. A verdade é que, antes de sermos capazes de transcender o sofrimento, precisamos aceitá-lo.

PATERNIDADE E MATERNIDADE CONSCIENTES

Muitos filhos guardam raiva ou ressentimento dos pais. A causa disso costuma ser a falta de autenticidade do relacionamento. O filho tem um profundo desejo de que o pai e a mãe estejam presentes como seres humanos, e não como papéis, não importa com que grau de consciência essa interpretação esteja sendo feita.

Podemos estar realizando tudo o que é certo e da melhor forma possível para nosso filho – ainda assim, fazer o melhor não é o bastante. *Na verdade, fazer nunca é o suficiente se negligenciamos o Ser.* O ego não sabe nada do Ser, porém acredita que acabaremos sendo salvos porque "fazemos". Quando estamos sob seu domínio, acreditamos que, realizando mais e mais, vamos acabar acumulando "feitos" suficientes para nos sentir completos em determinado momento no futuro. Não, não vamos. Tudo o que conseguiremos com toda essa ação será nos perder de nós mesmos. A civilização inteira está desorientada por fazer aquilo que, por não ter raízes no Ser, se torna inútil.

Como levamos o Ser para a vida de uma família atarefada, para o relacionamento com nossos filhos? A chave é lhes dar atenção. Existem dois tipos de atenção. Um deles podemos chamar de atenção baseada na forma. O outro é a atenção sem forma. A atenção baseada na forma está sempre vinculada de alguma maneira a fazer ou avaliar. "Já fez sua lição de casa? Coma tudo. Arrume seu quarto. Escove os dentes. Faça isso. Pare de fazer aquilo. Vamos logo, apronte-se."

Qual é a próxima tarefa? Essa pergunta resume muito bem aquilo com o que a vida familiar se parece num grande número de lares. A atenção baseada na forma é necessária e tem seu lugar. Porém, se ela for tudo o que existe no relacionamento com os filhos, é porque a dimensão essencial está faltando e o Ser se torna completamente obscurecido pelo fazer, pelas "preocupações mundanas", como Jesus observou. A atenção sem forma é inseparável da dimensão do Ser. Como ela funciona?

Enquanto observamos, escutamos, tocamos ou ajudamos nossos filhos, permanecemos atentos, calmos, inteiramente presentes – tudo o que queremos é aquele instante como ele é. Dessa maneira, damos lugar ao Ser. Nesse momento, se estamos presentes, não somos o pai nem a mãe, e sim a atenção, a calma, a presença que está escutando, olhando, tocando e até mesmo falando. Somos o Ser por trás do fazer.

RECONHECENDO NOSSOS FILHOS

Nós somos seres humanos. O que isso significa? O domínio da vida não é uma questão de controle, e sim de encontrar um equilíbrio entre o humano e o Ser. Mãe, pai, marido, esposa, jovem, velho, os papéis que interpretamos, as funções que desempenhamos, o que quer que façamos – tudo isso pertence à dimensão humana, tem sua importância e precisa ser respeitado. No entanto, em si mesmas, essas coisas não são suficientes para nos proporcionar uma vida plena nem relacionamentos significativos. O humano apenas nunca é o bastante, não importa quanto nos esforcemos nem o que sejamos capazes de conquistar. Porém, há também o Ser. Ele se encontra na presença calma, alerta da Consciência em si, a Consciência que nós somos. O humano é forma. O Ser é sem forma. O humano e o Ser não estão separados, mas interligados.

Na dimensão humana, somos, sem dúvida, superiores aos nossos filhos. Somos maiores, mais fortes, sabemos mais e conseguimos fazer mais. Se essa dimensão for tudo o que conhecemos, então nos veremos acima deles, ainda que de modo inconsciente. E faremos com que se sintam inferiores, ainda que de modo inconsciente também. Não existe igualdade entre nós e eles porque só existe forma nesse relacionamento – e na forma, é claro, não somos semelhantes. Podemos amá-los, contudo nosso amor é apenas humano, isto é, condicional, possessivo, intermitente. Apenas além da forma, no Ser, nós somos iguais. E somente quando encontramos a dimensão sem forma em nós mesmos é possível haver amor verdadeiro nessa relação. A presença que nós somos, o "eu sou" eterno, reconhece a si mesma em outro indivíduo, e este – neste caso, o filho – se sente amado, ou seja, reconhecido.

Amar é reconhecermos a nós mesmos no outro. A alteridade então se revela uma ilusão que pertence ao reino puramente humano, o reino da forma. O anseio por amor que existe em toda criança é o anseio por ser reconhecida não no nível da forma, mas no plano do Ser. Quando os pais distinguem apenas a dimensão humana das crianças e negligenciam o Ser, elas sentem que o relacionamento é insatisfatório, que algo essencial está faltando. Assim, poderão acumular dor e, algumas vezes, até um ressentimento inconsciente em relação aos pais. "Por que vocês não me reconhecem?" Isso é o que a dor e o ressentimento parecem dizer.

Sempre que alguém nos reconhece, isso traz a dimensão do Ser mais plenamente para o mundo por meio de nós dois. Esse é o amor que redime o mundo. Tenho falado sobre isso de modo mais específico no que se refere aos filhos, porém essa é uma questão que se aplica a todos os relacionamentos.

Diz-se que "Deus é amor", no entanto isso não está certo. Deus é a Vida Única que está nas incontáveis formas de vida e além delas. O amor implica dualidade: quem ama e quem é amado, sujeito e objeto. Portanto, ele é o reconhecimento da unicidade no mundo da dualidade. Isso é o nascimento de Deus no mundo da forma. O amor torna o mundo menos "terreno", menos denso, mais transparente para a dimensão divina, a própria luz da consciência.

DESISTINDO DE INTERPRETAR PAPÉIS

Fazer o que é exigido de nós em qualquer situação sem que isso se torne um papel com o qual nos identificamos é uma lição essencial na arte de viver que todos nós estamos aqui para aprender. Somos mais eficazes no que quer que façamos quando executamos a ação em benefício dela mesma, e não como um meio de proteger e acentuar a identidade do nosso papel. Todo papel é uma percepção fictícia do eu e, por meio dele, tudo se torna personalizado e assim corrompido e distorcido pelo "pequeno eu" criado pela mente, seja qual for a função que este esteja desempenhando. Quase todas as pessoas em posições de poder, como políticos, celebridades e líderes empresariais e religiosos, se encontram inteiramente identificadas com seu papel, com poucas exceções notáveis. Esses indivíduos podem ser considerados VIPs, mas não são mais do que participantes inconscientes do jogo egoico, que, apesar de parecer muito importante, não apresenta, em última análise, um propósito verdadeiro. Ele é, nas palavras de Shakespeare, "uma história contada por um idiota, repleta de som e de fúria, sem nenhum significado".[1] E Shakespeare chegou a essa conclusão sem nem sequer ter visto televisão. Se o conflito egoico tem de fato um propósito, este é indireto: ele cria cada vez mais sofrimento neste mundo, e o sofrimento, embora produzido em sua maior parte pelo ego, no fim também o destrói. Ele é o fogo no qual o ego se consome.

Neste mundo de personalidades que interpretam papéis, as poucas pessoas que não projetam uma imagem criada pela mente e que agem com o âmago do seu Ser, aquelas que não tentam parecer mais do que são, destacam-se como admiráveis e são as únicas que fazem verdadeiramente a diferença – e existem algumas assim até mesmo na mídia em geral e no universo dos negócios. Elas são os mensageiros da nova consciência. Qualquer coisa que façam se torna importante porque está alinhada com o propósito do todo. Contudo, sua influência vai muito além do que realizam, da sua atividade. Sua mera presença – simples, natural, despretensiosa – tem um efeito transformador sobre qualquer um que tenha contato com elas.

Quando não interpretamos papéis, é porque não há eu (ego) no que estamos fazendo. Não existem intenções ocultas: a proteção ou o fortalecimento do eu. Por esse motivo, nossas ações têm uma força muito maior. Ficamos totalmente concentrados na situação, nos tornamos um só com ela. Não procuramos ser alguém diferente. Passamos a ser mais capazes, mais eficazes, quando somos nós mesmos. Todavia, não devemos tentar ser nós mesmos, pois esse é outro papel. Estou falando do chamado "eu natural, espontâneo". Assim que buscamos ser isso ou aquilo, interpretamos um papel. "Apenas seja você mesmo" é um bom conselho, no entanto também pode ser enganador. Primeiro, a mente dirá: "Vejamos. Como posso ser eu mesmo?" Depois, desenvolverá uma estratégia do tipo "Como ser eu mesmo". Outro papel. Assim, "Como posso ser eu mesmo?" é, na verdade, a pergunta errada. Ela pressupõe que temos que fazer algo para sermos nós mesmos. Porém, "como" não se aplica a esse caso porque já somos nós mesmos. Precisamos apenas parar de acrescentar elementos desnecessários a quem já somos. "Mas eu não sei quem sou. Ignoro o que significa ser eu mesmo." Quando conseguimos nos sentir à vontade em não saber quem somos, então o que sobra é quem somos – o Ser por trás do humano, um campo de pura potencialidade em vez de alguma coisa que já está definida.

Portanto, desista de se definir – para si mesmo e para os outros. Você não morrerá. Você nascerá. E não se preocupe com a definição que os outros lhe dão. Quando uma pessoa o define, ela está se limitando, então o problema é dela. Sempre que estiver interagindo com alguém, não se porte como se você fosse basicamente uma função ou um papel, mas um campo de presença consciente.

Por que o ego interpreta papéis? Por causa de um pressuposto não questionado, um erro fundamental, um pensamento inconsciente, que é: "Não sou o bastante." E a esse pensamento se seguem outros, como "Tenho que interpretar um papel para conseguir o que é necessário para me completar", "Preciso obter mais para ser mais". No entanto, não podemos ser mais do que somos porque, por baixo da superfície da nossa forma física e psicológica, somos um só com a Vida em si mesma, com o Ser. Na forma, somos e seremos sempre inferiores a algumas pessoas e superiores a outras. Na essência, não somos inferiores nem superiores a ninguém. A verdadeira autoestima e a autêntica humildade surgem dessa compreensão. Aos olhos do ego, a autoestima e a humildade são contraditórias. Na verdade, elas são uma só coisa e a mesma.

O EGO PATOLÓGICO

Considerando a palavra "patológico" no seu sentido mais amplo, podemos dizer que o ego em si é patológico, não importa que forma assuma. Quando observamos a raiz desse termo no grego antigo, vemos quanto é apropriado aplicá-lo ao ego. Embora costume ser usado para explicar uma condição de doença, ele deriva de *pathos*, que significa sofrimento. Isso, é claro, foi o que Buda descobriu 2.600 anos atrás como uma característica da condição humana.

Uma pessoa dominada pelo ego, contudo, não reconhece o sofrimento como sofrimento – ela o considera a única resposta adequada em qualquer tipo de situação. O ego, na sua cegueira, é incapaz de ver a dor que inflige a si mesmo e aos outros. A infelicidade é uma doença "mental-emocional" que atingiu proporções epidêmicas. É o equivalente subjetivo da poluição ambiental do planeta. Estados negativos, como raiva, ansiedade, rancor, ressentimento, descontentamento, inveja e ciúme, entre outros, não costumam ser vistos como negativos, e sim como condições totalmente justificadas. Além disso, há compreensão errônea de que eles não são criados pela própria pessoa, mas por alguém ou por um fator externo. "Eu o considero responsável pela minha dor." Isso é o que o ego deixa subentendido.

O ego não consegue distinguir entre uma situação e sua interpretação de uma reação a essa situação. Podemos dizer "Que dia horrível!" sem atentarmos para o fato de que o frio, o vento e a chuva ou qualquer elemento ao qual estejamos reagindo não são horríveis. Eles são como são. O que é horrível é nossa reação, a resistência subjetiva a eles e a emoção que é criada por essa resistência. Nas palavras de Shakespeare: "Nada existe de bom nem de mau, o pensamento é o que o torna assim."[2] Mais do que isso, o ego sempre interpreta mal o sofrimento como um prazer porque, até determinado ponto, ele se fortalece por meio desse estado negativo.

Por exemplo, a raiva e o ressentimento exacerbam o ego, aumentando a sensação de separação, enfatizando a diferença em relação aos outros e criando a postura "estou coberto de razão", que mais parece uma fortaleza inexpugnável. Se fôssemos capazes de observar as mudanças psicológicas que acontecem dentro do nosso corpo quando somos dominados por essas disposições negativas, caso pudéssemos ver de que modo elas prejudicam o funcionamento do coração e dos sistemas digestivo e imunológico, além de muitas outras funções corporais, ficaria óbvio que esses estados são de fato patológicos, isto é, são formas de sofrimento, e não de prazer.

Sempre que nos encontramos nesse tipo de condição, há algo em nós que deseja o negativismo, que o percebe como prazeroso ou que acredita que ele nos dará o que desejamos. De outra maneira, quem o buscaria, quem gostaria de tornar a si mesmo e aos outros infelizes e causar doenças ao próprio corpo? Portanto, sempre que o negativismo surgir e formos capazes de estar conscientes de que existe algo em nós que sente prazer nele ou acredita que ele tenha um propósito útil, estaremos nos tornando conscientes do ego diretamente. É nesse momento que nossa identidade se transfere do ego para a consciência. Isso quer dizer que o ego está se encolhendo, enquanto a consciência está se expandindo.

Se em meio ao negativismo conseguirmos compreender a ideia de que naquele instante estamos causando sofrimento a nós mesmos, isso será suficiente para nos colocar acima das limitações das reações e dos estados egoicos condicionados. Isso mostrará as infinitas possibilidades que se abrem para nós quando a consciência está presente – maneiras diferentes e muito mais inteligentes de enfrentarmos qualquer situação. Assim que reconhecemos nossa infelicidade como algo não inteligente, nos libertamos dela. O negativismo é destituído de inteligência. Ele é sempre uma criação do ego, que pode ser esperto, mas não é inteligente. A esperteza persegue objetivos próprios e pequenos. A inteligência vê o conjunto maior em que todas as coisas estão interligadas. A esperteza é motivada pelo interesse pessoal e é extremamente imediatista. Em sua maioria, os políticos e os profissionais do mundo dos negócios são espertos. Muito poucos são inteligentes. Tudo o que é alcançado por meio da esperteza tem vida curta e sempre resulta numa derrota pessoal. A esperteza divide, enquanto a inteligência inclui.

A INFELICIDADE EM SEGUNDO PLANO

O ego cria separação, e a separação causa sofrimento. Portanto, o ego é claramente patológico. Além de suas manifestações óbvias, como raiva, rancor e inveja, o negativismo assume formas mais sutis que, por serem muito comuns, não costumam ser reconhecidas como tal, como impaciência, irritação, nervosismo e sensação de estar "cheio" de uma situação ou de alguém, isto é, de ter chegado ao limite. Elas constituem a infelicidade em segundo plano, que é o estado interior predominante de muitas pessoas. Precisamos estar absolutamente atentos e presentes para detectá-las. Sempre que fizermos isso, será um momento de despertar, ou de abandono da identificação com a mente.

Vou mencionar um dos estados negativos mais comuns que desconsideramos com a maior facilidade justamente por ser corriqueiro. Talvez você esteja familiarizado com ele. Você costuma ter uma sensação de descontentamento que poderia ser descrita como uma espécie de ressentimento em segundo plano? Ela pode ser específica ou não. Muitas pessoas passam uma grande parte da vida nesse estado. Elas se identificam tanto com ele que não conseguem se afastar e detectá-lo. O que sustenta essa sensação são certas crenças que mantemos de modo inconsciente, determinados pensamentos. Nós os cultivamos da mesma maneira que sonhamos quando estamos dormindo, isto é, não sabemos que os estamos alimentando, assim como quem sonha ignora que está sonhando.

Aqui estão alguns dos pensamentos inconscientes mais comuns que nutrem a sensação de descontentamento, ou o ressentimento em segundo plano. Eliminei seu conteúdo para que apenas sua estrutura permanecesse. Eles se tornam mais claramente visíveis dessa maneira. Sempre que você detectar a infelicidade em segundo plano na sua vida (ou até mesmo no primeiro plano), poderá verificar quais destes pensamentos se aplicam ao caso e preenchê-los com seu próprio conteúdo, de acordo com sua situação pessoal:

"Alguma coisa precisa acontecer na minha vida para que eu me sinta em paz (feliz, satisfeito, etc.). E eu me ressinto de que isso não tenha acontecido ainda. Talvez meu ressentimento faça com que finalmente ocorra."

"Houve um fato no passado que não devia ter acontecido, e eu me ressinto disso. Se isso não tivesse ocorrido, eu estaria em paz agora."

"Existe algo acontecendo agora que não deveria estar acontecendo, e isso está me impedindo de ficar em paz."

Geralmente, as crenças inconscientes são dirigidas contra uma pessoa e assim "acontecendo" se torna "fazendo":

"Você deveria fazer isto para que eu fique em paz. Estou ressentido porque você não fez ainda. Quem sabe meu ressentimento o leve a fazê-lo."

"Alguma coisa que você ou eu fizemos, dissemos ou deixamos de fazer no passado está me impedindo de ficar em paz agora."

"O que você está fazendo ou deixando de fazer não está me permitindo ficar em paz."

O SEGREDO DA FELICIDADE

Todos os exemplos mencionados na seção anterior são suposições, pensamentos não analisados e não comprovados que se confundem com a realidade. São histórias que o ego cria para nos convencer de que não conseguimos ficar em paz agora ou de que não podemos ser nós mesmos plenamente no presente. Ficarmos em paz e ser quem somos, isto é, nós mesmos, são uma coisa só. O ego diz: "Talvez em algum momento no futuro eu possa ficar em paz, caso isso ou aquilo aconteça ou se eu conseguir isso ou me tornar aquilo." Ou ele afirma: "Houve algo no passado que nunca me deixa ficar em paz." Se ouvirmos as histórias das pessoas, veremos que todas elas têm o título: "Por que eu não consigo ficar em paz agora." O ego não sabe que sua única oportunidade de ficar em paz é agora. Ou talvez ele saiba e tenha medo de que nós acabemos descobrindo isso. Paz, acima de tudo, é o fim do ego.

Como ficar em paz agora? Fazendo as pazes com o momento presente. Esse momento é o campo em que o jogo da vida acontece. Não há nenhum outro lugar em que ele possa existir. Uma vez que tenhamos nos reconciliado com o momento presente, devemos observar o que ocorre, o que podemos fazer ou escolher fazer ou, em vez disso, o que a vida faz por nosso intermédio. Há uma expressão que revela o segredo da arte de viver, a chave de todo sucesso e de toda felicidade: nossa unificação com a vida. Quando formamos um todo com ela, formamos um todo com o Agora. Nesse instante, compreendemos que não vivemos a vida, é ela que nos vive. A vida é a dançarina e nós, a dança.

O ego adora o ressentimento que alimenta contra a realidade. O que é realidade? Qualquer coisa. Buda chamou-a de *tatata* – a verdadeira natureza da vida, que não é mais do que a verdadeira natureza do momento. A oposição contra essa essência é uma das principais características do ego. Ela dá origem ao negativismo em que o ego se fortalece, à infelicidade que ele adora. Nesse sentido, causamos sofrimento a nós mesmos e aos outros sem nem sequer saber que estamos fazendo isso, ignorando que estamos criando o inferno na Terra. Provocarmos dor sem saber – essa é a essência de vivermos de modo inconsciente, é estarmos totalmente sob o domínio do ego. A extensão da incapacidade que ele tem de reconhecer a si mesmo e ver o que está causando é perturbadora e inacreditável. Ele faz exatamente o que condena nos outros, porém não percebe isso. Quando esse comportamento se torna evidente, ele usa a negação irada, argumentos sagazes e justificativas para distorcer os fatos. Tanto as pessoas quanto as empresas e os governos agem assim. No instante em que todos os recursos falham, o ego recorre aos gritos e até mesmo à violência física. Envia os soldados. Agora podemos entender a sabedoria profunda das palavras de Jesus na cruz: "Perdoai-os, pois eles não sabem o que fazem."

Para darmos fim ao sofrimento que vem afligindo a condição humana há milhares de anos, precisamos começar por nós mesmos e assumir a responsabilidade por nosso estado interior em qualquer momento. Isso quer dizer agora. Portanto, pergunte-se: "Estou dando mostras de negativismo neste exato instante?" Depois fique alerta, preste atenção nos seus pensamentos e nas suas emoções. Observe as formas de infelicidade que se manifestam em graus menos elevados, como aquelas que mencionei anteriormente – descontentamento, irritação, saturação, etc. Atente para os pensamentos que parecem justificar ou explicar essa infelicidade, mas que, na verdade, são seus causadores. Caso você tome consciência de um estado negativo dentro de si mesmo, isso não significa um fracasso da sua parte. Ao contrário, mostra que obteve sucesso. Enquanto a consciência não se manifesta, existe identificação com os estados internos – e essa identificação é o ego. Com a consciência vem o abandono da identificação com os pensamentos, as emoções e as reações. No entanto, esse processo não deve ser confundido com negação. Os pensamentos, as emoções e as reações são reconhecidos e, no momento em que são detectados, o fim da identificação se dá de forma automática. Nossa percepção do eu, ou seja, de quem somos, passa então por uma mudança: diante de nós estão os pensamentos, as emoções e as reações, e agora nós somos a consciência, a presença consciente que testemunha esses estados.

"Um dia vou me libertar do ego." Quem está falando? O ego. Libertar-se dele não é verdadeiramente um grande trabalho, mas uma tarefa muito pequena. Basta estarmos conscientes dos nossos pensamentos e das nossas emoções à medida que eles vão surgindo. Não se trata de "fazer", e sim de "ver" com atenção. Nesse sentido, é verdade que não há nada que possamos fazer para nos libertar do ego. Quando essa mudança acontece, ou seja, quando passamos do pensamento para a consciência, uma inteligência muito maior do que a esperteza do ego começa a agir na nossa vida. As emoções e até mesmo os pensamentos são despersonalizados pela consciência. A natureza impessoal de ambos é reconhecida. O eu deixa de existir neles. São apenas emoções e pensamentos humanos. Toda a nossa história pessoal, que, em última análise, não passa mesmo de uma história, de um amontoado de pensamentos e emoções, adquire uma importância secundária e não ocupa mais o primeiro plano da nossa consciência. Ela deixa de formar a base para nosso sentido de identidade. Nós somos a luz da presença, a consciência de que somos mais importantes e mais profundos do que quaisquer pensamentos e emoções.

FORMAS PATOLÓGICAS DO EGO

Como vimos, o ego, na sua natureza essencial, é patológico, se usarmos essa palavra no seu sentido mais amplo para denotar distúrbio e sofrimento. Muitos transtornos mentais são constituídos de traços egoicos idênticos aos que se manifestam numa pessoa normal. A diferença é que, no caso do doente, eles se tornaram tão pronunciados que sua natureza patológica fica óbvia para qualquer um, menos para a vítima.

Por exemplo, muitas pessoas normais contam determinados tipos de mentiras de tempos em tempos para parecer mais importantes e especiais e para realçar sua imagem na mente dos outros – mentem sobre quem elas conhecem, suas conquistas e habilidades, bens e qualquer outra coisa que o ego use para se identificar. Alguns indivíduos, porém, motivados pela sensação de insatisfação do ego e de sua necessidade de ter ou ser "mais", mentem de maneira habitual e compulsiva. A maioria das coisas que dizem sobre si mesmos, sua história, é uma verdadeira fantasia, uma obra de ficção que o ego cria para se sentir maior, mais especial. Sua autoimagem grandiosa e inflada pode às vezes enganar os outros, mas normalmente não por muito tempo. A maior parte das pessoas logo a reconhece como uma completa invenção.

A doença mental chamada esquizofrenia paranoide, ou paranoia, é essencialmente uma forma exagerada de ego. Em geral, ela consiste numa história ficcional que a mente inventa para dar sentido a um persistente sentimento subjacente de medo. O elemento principal da história do portador desse mal é a crença de que determinadas pessoas (algumas vezes, um monte de gente ou quase todo mundo) estão tramando contra ele ou conspirando para controlá-lo ou matá-lo. Como a história costuma ter coerência e lógica, por vezes faz com que os outros também acreditem nela. Há casos de empresas e países que têm sistemas de crenças paranoicos na sua própria base. O medo e a desconfiança que o ego tem das pessoas, sua tendência a enfatizar a alteridade concentrando-se nas falhas e tornando-as a identidade do outro, ganham uma proporção maior e transformam todos em monstros desumanos. O ego precisa das pessoas, porém seu dilema é que, no fundo, ele as odeia e as teme. A afirmação de Jean-Paul Sartre "O inferno são os outros" é a voz do ego. Quem sofre de paranoia sente o inferno de maneira mais aguda; no entanto, todos aqueles que apresentam padrões egoicos ativos sentem-no num grau qualquer de intensidade. Quanto mais forte o ego, maior a probabilidade de vermos as pessoas como a principal fonte dos nossos problemas. Há também uma grande chance de que tornemos a vida difícil para os outros. Mas, é claro, não somos capazes de perceber isso. Sempre são eles que parecem estar nos fazendo mal.

Há outro elemento do ego que se manifesta como um sintoma da doença mental que chamamos paranoia, porém, nesse caso, de forma mais extrema. Quanto mais o doente se considera perseguido, espionado ou ameaçado, mais pronunciada se torna a sensação que ele tem de ser o centro do universo, a pessoa em torno da qual tudo gira. E uma questão ainda mais importante: ele se imagina o ponto focal da atenção de um grande número de pessoas. A sensação que ele tem de ser uma vítima, de estar sendo prejudicado por tanta gente o torna muito especial. Na história que constitui a base do seu sistema ilusório, ele geralmente se vê tanto no papel de vítima quanto no de herói potencial que vai salvar o mundo ou derrotar as forças do mal.

O ego coletivo de tribos, países e organizações religiosas também costuma apresentar um forte elemento de paranoia: nós contra os maus. Isso é a causa da maior parte do sofrimento humano, como mostram os seguintes fatos: a Inquisição, a perseguição e queima de hereges e "bruxas", as relações entre países conduzindo à Primeira e à Segunda Guerras, o comunismo em toda a sua história, a Guerra Fria, o macarthismo nos Estados Unidos na década de 1950, o longo e violento conflito no Oriente Médio e todos os dolorosos episódios da história humana dominada por extrema paranoia coletiva.

Quanto mais inconscientes estiverem as pessoas, os grupos e os países, maior a probabilidade de que a patologia egoica assuma a forma de violência física. A violência é um recurso primitivo e ainda muito disseminado que o ego usa para tentar se afirmar, para provar a si mesmo que ele está certo e o outro, errado. Entre aqueles que apresentam um alto grau de inconsciência, as discussões podem causar a violência com a maior facilidade. O que é uma discussão? É a exposição de opiniões diferentes entre duas ou mais pessoas. Cada uma delas está tão identificada com os pensamentos que constituem seu ponto de vista que essas formas de pensar se cristalizam em posições mentais que são investidas de uma percepção do eu. Em outras palavras: a identidade e o pensamento se fundem. Quando isso acontece, isto é, sempre que estamos defendendo nossas opiniões (pensamentos), sentimos e agimos como se estivéssemos protegendo nosso próprio eu. Inconscientemente, é como se estivéssemos travando uma luta pela sobrevivência e, assim, nossas emoções refletem essa crença. Elas se tornam turbulentas. Ficamos perturbados, irados, na defensiva ou agressivos. Precisamos vencer a qualquer custo ou seremos aniquilados. Essa é a ilusão. O ego não sabe que a mente e as posições mentais não têm nada a ver com quem nós somos porque ele é a própria mente não observada.

No zen se costuma dizer: "Não busque a verdade. Apenas pare de cultivar opiniões." O que isso significa? Deixe de lado a identificação com a mente. Assim, quem você é além da mente emergirá por si mesmo.

O TRABALHO – COM E SEM A INFLUÊNCIA DO EGO

A maioria das pessoas tem momentos livres da interferência do ego. As que são excepcionais no que fazem podem permanecer completamente ou em grande parte livres dele enquanto executam seu trabalho. Talvez elas não saibam disso, mas sua atividade se tornou uma prática espiritual. A maior parte delas se mantém no estado de presença enquanto trabalha e se retrai numa inconsciência relativa na vida privada. Isso significa que seu estado de presença ocorre durante o tempo que é destinado a uma área específica da sua vida. Conheci professores, artistas, enfermeiros, médicos, cientistas, assistentes sociais, garçons, cabeleireiros, empresários e vendedores que realizam seu trabalho de modo admirável e sem nenhuma busca pessoal, respondendo a qualquer coisa que o momento exija. Eles se tornam um só com o que fazem, com o Agora, com as pessoas e com a tarefa que executam. Sua influência sobre os outros supera a função que desempenham. Ocorre uma suavização do ego em todos com quem entram em contato. Algumas vezes, até mesmo indivíduos com um ego muito forte relaxam, baixam a guarda e param de interpretar seu papel quando interagem com essas pessoas. Não surpreende que elas sejam extraordinariamente bem-sucedidas no que fazem. Qualquer um que alcance a unificação com seu trabalho está construindo uma nova Terra.

Conheci também muitos outros profissionais que podem ser tecnicamente bons no que fazem mas cujo ego sabota seu desempenho de forma constante. Apenas parte de sua atenção é fixada no trabalho que realizam; a outra parte é voltada para si mesmos. Seu ego exige o reconhecimento pessoal e desperdiça energia com ressentimento quando não obtém o suficiente – e nunca é o bastante. "Será que alguém está conseguindo mais reconhecimento do que eu?" Outras vezes, o foco da atenção dessas pessoas é o lucro ou o poder, e sua atividade nada mais é do que um meio para alcançar esse fim – nesse caso, seu desempenho não pode ser de alta qualidade. Quando surgem obstáculos ou dificuldades no trabalho, nas ocasiões em que as coisas não correm de acordo com a expectativa, sempre que pessoas ou circunstâncias não são favoráveis ou cooperativas, elas não procuram formar imediatamente um todo com a nova conjuntura e responder às exigências do momento. Ao contrário: reagem contra a situação e assim se separam dela. Existe um "eu" que se sente ofendido ou ressentido. Com isso, uma enorme quantidade de energia é queimada em protesto ou raiva inútil quando poderia ser usada para resolver a questão, caso não fosse mal-empregada pelo ego. Mais do que isso, essa "antienergia" cria novos obstáculos, nova oposição. Muitos indivíduos são de fato seu pior inimigo.

Sem saber, as pessoas sabotam o próprio trabalho quando se recusam a prestar ajuda ou informações aos outros ou tentam prejudicá-los para que não alcancem mais sucesso ou crédito do que elas. A cooperação é estranha ao ego, a não ser quando existe uma intenção oculta. Ele não sabe que, quando incluímos as pessoas, as coisas fluem mais suavemente e chegam até nós com mais facilidade. Se prestamos pouco ou nenhum auxílio aos outros ou colocamos obstáculos em seu caminho, o universo – na forma de pessoas e circunstâncias – nos proporciona pouca ou nenhuma ajuda porque nos separamos do todo. O sentimento essencial inconsciente do ego de "ainda não é o bastante" faz com que ele reaja ao sucesso de qualquer pessoa como se esse êxito tivesse tirado alguma coisa dele. Ele ignora o fato de que seu ressentimento em relação à conquista de alguém restringe suas próprias possibilidades de ser bem-sucedido. Para atrair o sucesso, precisamos ser receptivos a ele onde quer que o vejamos.

O EGO NA DOENÇA

Uma doença pode tanto fortalecer quanto enfraquecer o ego. Se nos queixamos, sentimos pena de nós mesmos ou nos ressentimos da doença, ele se torna mais forte. E também ganha força quando tornamos a doença parte da nossa identidade conceitual: "Sou vítima desse mal." Ah, então agora todos sabem quem somos nós. Por outro lado, há pessoas que, embora tenham um ego exacerbado na vida normal, se tornam gentis, afáveis e muito melhores quando estão doentes. Elas podem ter insights que talvez nunca tenham experimentado antes. Podem também ter acesso ao seu conhecimento e contentamento internos e falar palavras de sabedoria. Depois, quando melhoram, a energia retorna e, com ela, o ego.

Quando estamos doentes, nosso nível de energia é bem baixo, e a inteligência do organismo pode assumir o controle e usar a energia remanescente para curar o corpo. Assim, não existe energia suficiente para a mente, isto é, para as emoções e os pensamentos egoicos. O ego consome uma quantidade considerável de energia. Em alguns casos, no entanto, ele retém a pouca energia que resta e a utiliza para seus próprios propósitos. É desnecessário dizer que as pessoas que sentem um fortalecimento do ego quando estão doentes demoram muito mais para se recuperar. Algumas delas nunca se restabelecem. Por esse motivo, a doença se torna crônica e uma parte permanente da sua falsa percepção do eu.

O EGO COLETIVO

Até que ponto é difícil viver consigo mesmo? Uma das maneiras pelas quais o ego tenta escapar da insatisfação que tem em relação a si próprio é ampliando e fortalecendo sua percepção do eu. Ele faz isso identificando-se com um grupo, que pode ser um país, um partido político, uma empresa, uma instituição, uma seita, um clube, uma turma, um time de futebol, etc.

Em alguns casos, o ego pessoal parece se dissolver completamente quando alguém dedica a vida a trabalhar com abnegação pelo bem maior de uma coletividade sem exigir recompensa, reconhecimento nem enaltecimento. Que alívio ser libertado da carga incômoda do eu pessoal. Os membros do grupo sentem-se felizes e satisfeitos, não importa quanto precisem trabalhar, quantos sacrifícios tenham que fazer. Eles parecem ter superado o ego. A questão é: será que se libertaram de verdade ou o ego apenas se mudou do plano pessoal para o coletivo?

Um ego coletivo manifesta as mesmas características do ego pessoal, como a necessidade de enfrentamentos e inimigos, de ter ou fazer mais, de estar certo e mostrar que os outros estão errados, etc. Cedo ou tarde, essa coletividade entrará em conflito com outras coletividades porque busca inconscientemente o desentendimento e precisa de oposição para definir seus limites e, assim, a própria identidade. Depois, seus integrantes experimentam o sofrimento, que é uma consequência inevitável de toda ação motivada pelo ego. A essa altura, eles podem despertar e compreender que seu grupo tem um forte componente de insanidade.

Pode ser doloroso acordar de repente e perceber que a coletividade com a qual nos identificamos e para a qual trabalhamos é, na verdade, insana. Nesse momento, há pessoas que se tornam cínicas ou amargas e, daí por diante, passam a negar todos os valores, tudo o que vale a pena. Isso significa que elas adotam rapidamente outro sistema de crenças quando o anterior é reconhecido como ilusório e, portanto, entra em colapso. Elas não encaram a morte do seu ego; em vez disso, fogem e reencarnam em outro.

Um ego coletivo costuma ser mais inconsciente do que os indivíduos que o constituem. Por exemplo, as multidões (que são entidades egoicas coletivas temporárias) são capazes de cometer atrocidades que a pessoa sozinha não seria capaz de praticar. Vez por outra, os países adotam um comportamento que seria imediatamente reconhecido como psicopático numa pessoa.

À medida que a nova consciência for surgindo, algumas pessoas se sentirão motivadas a formar grupos que a reflitam. E eles não serão egos coletivos. Seus membros não terão necessidade de estabelecer sua identidade por meio deles, pois já não estarão procurando nenhuma forma para definir quem são. Ainda que essas pessoas não estejam totalmente livres do ego, elas terão consciência bastante para reconhecê-lo em si mesmas ou nos outros tão logo ele se manifeste. No entanto, será preciso estar sempre alerta, uma vez que o ego *tentará* assumir o controle e se reafirmar de qualquer maneira. Dissolver o ego humano trazendo-o à luz da consciência – esse será um dos principais propósitos desses grupos formados por pessoas esclarecidas, sejam eles empresas, instituições de caridade, escolas ou comunidades. Essas coletividades vão cumprir uma função importante no surgimento da nova consciência. Enquanto os grupos egoicos pressionam no sentido da inconsciência e do sofrimento, as agremiações esclarecidas podem ser um vórtice para a consciência que irá acelerar a mudança planetária.

PROVA INCONTESTÁVEL DA IMORTALIDADE

O ego se estabelece por meio de uma divisão da psique humana, na qual a identidade se separa em duas partes que poderíamos chamar de "eu" e "meu". Portanto, todo ego é esquizofrênico, para usar a palavra no seu significado popular, que designa personalidade dividida. Nós vivemos com uma imagem mental de nós mesmos, um eu conceitual com quem temos um relacionamento. A vida em si torna-se conceitualizada e separada de quem somos quando falamos "minha vida". No momento em que dizemos ou pensamos "minha vida" e acreditamos nessa ideia (em vez de considerá-la uma mera convenção linguística), entramos na esfera da ilusão. Se existe algo como "minha vida", concluímos que "eu" e "vida" são duas coisas separadas. Assim, podemos também perder a vida, nosso valioso bem imaginário. A morte torna-se uma realidade aparente e uma ameaça. As palavras e os conceitos dividem a vida em segmentos isolados que não têm realidade própria. Poderíamos até mesmo dizer que o conceito "minha vida" é a ilusão original da separação, a origem do ego. Por exemplo, se eu e a vida somos dois, se eu existo separado dela, então estou separado de todas as coisas, de todos os seres, de todas as pessoas. Mas como eu poderia existir separado da vida? Qual "eu" poderia existir dissociado dela, à parte do Ser? É completamente impossível. Portanto, não existe algo como "minha vida", e nós não *temos* uma vida. Nós *somos* a vida. Nós e a vida somos um. Não é possível ser de outra maneira. Portanto, como poderíamos perder nossa vida? Como poderíamos perder algo que *não temos?* Como poderíamos perder algo que *nós somos?* É impossível.

Capítulo cinco

O CORPO DE DOR

No caso da maioria das pessoas, quase todos os pensamentos costumam ser involuntários, automáticos e repetitivos. Não são mais do que uma espécie de estática mental e não satisfazem nenhum propósito verdadeiro. Num sentido estrito, não pensamos – o pensamento acontece em nós. A afirmação "Eu penso" implica volição. Ou seja, podemos nos pronunciar sobre o assunto, podemos fazer uma escolha. Mas isso ainda não é percebido pela maior parte das pessoas. "Eu penso" é uma afirmação simplesmente tão falsa quanto "Eu faço a digestão" ou "Eu faço meu sangue circular". A digestão acontece, a circulação acontece, o pensamento acontece.

A voz na nossa cabeça tem vida própria. A maioria de nós está à mercê dela; as pessoas vivem possuídas pelo pensamento, pela mente. E, uma vez que a mente é condicionada pelo passado, então somos forçados a reinterpretá-lo sem parar. O termo oriental para isso é carma. Quando nos identificamos com essa voz, ignoramos isso. Se soubéssemos, não seríamos mais possuídos por ela, porque a possessão só acontece de verdade quando confundimos a entidade que nos domina com quem nós somos, isto é, quando nos tornamos essa entidade.

Ao longo de milhares de anos, a mente vem intensificando seu domínio sobre a humanidade, que deixou de ser capaz de reconhecer a entidade que se apossa de nós como o "não eu". Por causa dessa completa identificação com a mente, uma falsa percepção do eu passa a existir – o ego. A densidade dele depende do grau em que nós – a consciência – nos identificamos com a mente, com o pensamento. Pensar não é mais do que um minúsculo aspecto da totalidade da consciência, de quem somos.

O grau de identificação com a mente difere de indivíduo para indivíduo. Algumas pessoas desfrutam de períodos em que se encontram libertas do domínio da mente, ainda que brevemente. A paz, a alegria e o ânimo que elas experimentam nesses momentos fazem a vida valer a pena. Essas também são as ocasiões em que a criatividade, o amor e a compaixão se manifestam. Outras pessoas se mantêm presas ao estado egoico de modo contínuo. Permanecem alienadas de si mesmas, assim como dos demais e do mundo ao redor. Quando as observamos, conseguimos ver a tensão na sua face, talvez a testa franzida ou um olhar vago e distante. A maior parte da sua atenção está sendo absorvida pelo pensamento, por isso não nos veem nem nos escutam. Elas não estão presentes em nenhuma situação – sua atenção está ou no passado ou no futuro, que, é claro, são formas de pensamento que existem apenas na mente. Ou, se estabelecem um relacionamento conosco, fazem isso por meio de algum tipo de papel que interpretam e, assim, não são elas mesmas. As pessoas, em sua maioria, vivem alienadas de quem elas são. Às vezes esse estado chega a tal ponto que a maneira como se comportam e se relacionam é reconhecida como "falsa" por quase todo mundo, a não ser por aqueles que também são falsos e igualmente alienados de quem são.

Alienação quer dizer que não nos sentimos à vontade em nenhuma situação, em nenhum lugar nem com ninguém, nem mesmo conosco. Estamos sempre tentando nos sentir "em casa", mas isso nunca acontece. Alguns dos maiores escritores do século XX, como Franz Kafka, Albert Camus, T. S. Eliot e James Joyce, não só reconheceram a alienação como o dilema universal da existência humana como é provável que a tenham sentido em si mesmos de modo profundo e, assim, foram capazes de expressá-la excepcionalmente em suas obras. Eles não ofereceram uma solução. Sua contribuição foi nos proporcionar uma reflexão sobre essa dificuldade humana, para que pudéssemos vê-la com mais clareza. Ter uma visão mais nítida de uma situação complicada em que nos encontramos é o primeiro passo no sentido de superá-la.

O NASCIMENTO DA EMOÇÃO

Além da agitação do pensamento, embora não inteiramente separada dele, existe outra dimensão do ego: a emoção. Isso não quer dizer que todo pensamento e toda emoção pertençam ao ego. Esses elementos se convertem no ego apenas quando nos identificamos com eles ou quando eles assumem o controle sobre nós, isto é, quando se tornam o eu.

O organismo físico, nosso corpo, tem inteligência própria, assim como os organismos de todas as formas de vida. E essa inteligência reage ao que a mente diz, aos pensamentos. Portanto, a emoção é a resposta do corpo à mente. A inteligência do corpo, evidentemente, é uma parte inseparável da inteligência universal, uma das suas incontáveis manifestações. Ela dá coesão temporária aos átomos e às moléculas que constituem o organismo físico. É o princípio organizador por trás do funcionamento de todos os órgãos; da conversão de oxigênio e alimento em energia; dos batimentos cardíacos e da circulação do sangue; do sistema imunológico, que protege o corpo dos invasores; e da conversão das informações sensoriais em impulsos nervosos que são enviados ao cérebro, decodificados e reagrupados num quadro interior coerente com a realidade exterior. Tudo isso, assim como milhares de outras funções que ocorrem ao mesmo tempo, é coordenado com perfeição pela inteligência. Não somos nós que conduzimos o corpo. A inteligência faz isso. Ela também é responsável pelas respostas do organismo ao ambiente.

Isso se aplica a todas as formas de vida. É a mesma inteligência que dá forma física à planta e depois se manifesta como a flor que dela surge, aquela que, de manhã, abre as pétalas para receber os raios de sol e, à noite, as fecha. É a mesma inteligência que se revela como Gaia, o ser vivo complexo que é o planeta Terra.

Essa inteligência faz surgir as reações instintivas do organismo a tudo o que representa uma ameaça ou um desafio. No caso dos animais, ela produz respostas que parecem ter afinidade com as emoções humanas, como raiva, medo e prazer. Essas reações instintivas poderiam ser consideradas formas primordiais de emoção. Em determinadas situações, os seres humanos as manifestam da mesma maneira que os animais. Diante do perigo, quando a sobrevivência do organismo é ameaçada, o coração bate mais rápido, os músculos se contraem, a respiração se acelera numa preparação para a luta ou a fuga. O medo primordial. Quando o corpo se vê sem possibilidade de fuga, uma descarga súbita de energia intensa lhe dá uma força que ele não tinha antes. A raiva primordial. Essas reações instintivas se assemelham às emoções, mas não são emoções no verdadeiro sentido da palavra. A diferença fundamental entre elas é: enquanto a reação instintiva é a resposta direta do corpo a uma situação externa, a emoção é a reação do corpo a um pensamento.

Indiretamente, uma emoção também pode ser uma reação a uma situação ou a um acontecimento real, porém ela será uma reação ao acontecimento que terá passado pelo filtro da interpretação mental, do pensamento, ou seja, dos conceitos de bom e mau, semelhante e diferente, eu e meu. Por exemplo, pode ser que você não sinta nenhuma emoção ao ser informado de que o carro de alguém foi roubado. No entanto, caso se trate do seu carro, é provável que fique perturbado. É impressionante a quantidade de emoção que um pequeno conceito mental como "meu" pode gerar.

Embora o corpo seja muito inteligente, ele não consegue diferenciar uma situação real de um pensamento. Por isso reage a todo pensamento como se fosse a realidade. Para o corpo, um pensamento preocupante, assustador, corresponde a "Estou em perigo", e ele responde à altura, embora a pessoa que esteja pensando isso possa estar deitada numa cama quente e confortável. O coração bate mais forte, os músculos se contraem, a respiração se acelera. Forma-se um acúmulo de energia, mas, uma vez que o perigo é apenas uma ficção mental, a energia não flui. Parte dela retorna à mente e dá origem a outros pensamentos ainda mais ansiosos. O resto da energia se converte em toxinas e interfere no funcionamento harmonioso do corpo.

AS EMOÇÕES E O EGO

O ego não é apenas a mente não observada, a voz na cabeça que finge ser nós, mas também as emoções não observadas que constituem as reações do corpo ao que essa voz diz.

Já vimos que espécie de pensamento a voz egoica atrai na maior parte do tempo e a disfunção inerente à estrutura dos seus processos de pensamento, independentemente do conteúdo. Esse pensamento desajustado é aquilo a que o corpo reage com emoções negativas.

A voz na cabeça conta ao corpo uma história em que ele acredita e à qual reage. Essas reações são as emoções. Estas últimas, por sua vez, devolvem energia para os pensamentos que as criaram originalmente. Esse é o círculo vicioso entre emoções e pensamentos não questionados que suscita o pensamento emocional e a invenção de histórias emocionais.

O componente emocional do ego difere de pessoa para pessoa. Em alguns casos, é maior do que em outros. Os pensamentos que fazem o corpo disparar reações emocionais algumas vezes aparecem tão rápido que, antes de a mente ter tempo de expressá-los, o corpo reage com uma emoção, e esta é convertida numa reação. Esses pensamentos existem num estágio pré-verbal e podem ser chamados pressupostos não expressos, inconscientes. Eles se originam num condicionamento pessoal do passado, normalmente ocorrido na tenra infância. "Não se pode confiar nas pessoas" seria um exemplo desse pressuposto inconsciente numa pessoa cujos relacionamentos primordiais, isto é, com os pais ou irmãos, não foram de solidariedade e não inspiraram confiança. Mais alguns deles: "Ninguém me respeita nem me valoriza. Preciso lutar para sobreviver. O dinheiro nunca é suficiente. A vida sempre nos decepciona. Não mereço a prosperidade. Não sou digno do amor." Essas suposições inconscientes criam emoções no corpo que, por sua vez, geram atividade mental e/ou reações instantâneas. Dessa maneira, elas criam sua realidade pessoal.

A voz do ego perturba continuamente o estado natural de bem-estar do ser. Quase todo corpo humano se encontra sob grande tensão e estresse, mas não porque esteja sendo ameaçado por algum fator externo – a ameaça vem da mente. Há um ego vinculado ao corpo, que não pode fazer nada a não ser reagir a todos os padrões desajustados de pensamento que constituem o ego. Assim, um fluxo de emoções negativas acompanha o fluxo de pensamento incessante e compulsivo.

O que é uma emoção negativa? É aquela que é tóxica para o corpo e interfere no seu equilíbrio e funcionamento harmonioso. Medo, ansiedade, raiva, ressentimento, tristeza, rancor ou desgosto intenso, ciúme, inveja – tudo isso perturba o fluxo da energia pelo corpo, afeta o coração, o sistema imunológico, a digestão, a produção de hormônios, e assim por diante. Até mesmo a medicina tradicional, que ainda sabe muito pouco sobre como o ego funciona, está começando a reconhecer a ligação entre os estados emocionais negativos e as doenças físicas. Uma emoção que prejudica nosso corpo também contamina as pessoas com quem temos contato e, indiretamente, por um processo de reação em cadeia, um incontável número de indivíduos com quem nunca nos encontramos. Existe um termo genérico para todas as emoções negativas: infelicidade.

Será que as emoções positivas têm o efeito oposto sobre o corpo físico? Será que fortalecem o sistema imunológico, revigoram e curam o corpo? Sim, com certeza, mas precisamos diferenciar as emoções positivas que são produzidas pelo ego das emoções mais profundas que emanam do nosso estado natural de ligação com o Ser.

As emoções positivas geradas pelo ego já contêm seu próprio oposto no qual podem rapidamente se converter. Alguns exemplos: o que o ego chama de amor é possessividade e apego dependente, que podem se transformar em ódio em questão de segundos. A expectativa em relação a um acontecimento, que é a supervalorização do futuro por parte do ego, transforma-se no oposto – abatimento ou decepção – quando aquilo termina ou não satisfaz as expectativas do ego. Sermos elogiados e reconhecidos nos faz sentir vivos e felizes num dia, enquanto sermos criticados ou ignorados nos faz sentir rejeitados e infelizes no dia seguinte. O prazer de uma festa animada transforma-se em ressaca e em algo desinteressante na manhã seguinte. Não existe bom sem mau nem alto sem baixo.

As emoções produzidas pelo ego decorrem da identificação da mente com fatores externos que são, é claro, instáveis e sujeitos a mudanças a qualquer momento. As emoções mais profundas não são emoções de maneira nenhuma, e sim estados do Ser. Elas existem dentro do âmbito dos opostos. Os estados do Ser podem ser obscurecidos, porém não têm opostos. Eles emanam de dentro de nós, como o amor, a alegria e a paz, que são aspectos da nossa verdadeira natureza.

O PATO COM MENTE HUMANA

Em *O poder do Agora*, citei minha observação de que dois patos, depois de um confronto, que nunca demora muito, separam-se e afastam-se em direções opostas. Em seguida, cada um deles bate as asas vigorosamente algumas vezes, liberando assim o excesso de energia acumulada durante a luta. Depois disso, eles nadam em paz, como se nada tivesse acontecido.

Se o pato tivesse a mente de um ser humano, ele conservaria a luta viva no pensamento por meio de uma história. Provavelmente, ela seria assim: "Não acredito no que ele acabou de fazer. Ele chegou a poucos centímetros de mim. Pensa que é o dono do lago. Não tem consideração pelo meu espaço privado. Nunca mais vou confiar nele. Da próxima vez, ele vai fazer a mesma coisa só para me aborrecer. Tenho certeza de que já está tramando alguma coisa. Mas não vou suportar isso de novo. Vou ensinar a ele uma lição de que não vai se esquecer." Dessa forma, a mente cria suas histórias, uma atrás da outra, e continua pensando e falando sobre elas durante dias, meses ou anos. No que diz respeito ao corpo, a luta continua. E a energia que ela produz em resposta a todos esses pensamentos são as emoções, que, por sua vez, suscitam mais pensamentos. Isso se torna o pensamento emocional do ego. Podemos imaginar quanto a vida do pato se tornaria problemática se a mente dele fosse humana. Todavia, é assim que a maioria das pessoas vive na maior parte do tempo. Nenhuma situação, nenhum acontecimento, jamais termina de verdade. A mente e o "eu e minha história", criado pela própria mente, se encarregam de dar continuidade ao processo.

Nós somos uma espécie que tomou o caminho errado. Tudo o que é natural, todas as flores e árvores, assim como todos os animais, teriam importantes lições a nos dar se parássemos, olhássemos e escutássemos. A lição do pato é a seguinte: bata suas asas – isto é, "deixe a história pra lá" – e retorne para o único lugar importante: o momento presente.

CARREGANDO O PASSADO

A incapacidade, ou melhor, a relutância da mente humana em deixar de lado o passado é primorosamente ilustrada na história dos dois monges zen, Tanzan e Ekido, que caminhavam numa estrada enlameada depois de uma forte chuva. Próximo a uma aldeia, eles encontraram uma moça que estava tendo dificuldade em atravessar a estrada por causa da lama. Se ela continuasse a caminhar, estragaria seu quimono de seda. Sem titubear, Tanzan a pegou no colo e a carregou para o outro lado da estrada.

Os monges prosseguiram na sua caminhada em silêncio. Cinco horas depois, quando já estavam perto do templo onde passariam a noite, Ekido não conseguiu mais se conter.

– Por que você carregou a moça para o outro lado da estrada? – perguntou. – Nós, monges, não devemos fazer essas coisas.

– Faz horas que coloquei aquela jovem no chão – respondeu Tanzan. – Você ainda a está carregando?

Agora, imagine como seria a vida de alguém que viva como Ekido o tempo todo, incapaz de parar de pensar nas situações ou não querendo fazer isso e acumulando cada vez mais "material" dentro de si. Isso nos dá uma ideia de como é a vida da maioria das pessoas. Que pesado fardo do passado elas carregam na mente.

O passado vive em nós na forma de lembranças, no entanto elas em si mesmas não são um problema. Na verdade, é por meio delas que aprendemos com nossas experiências e com os erros que cometemos. Somente quando as recordações, isto é, os pensamentos sobre o passado, nos dominam completamente é que elas se transformam num fardo, começam a ser problemáticas e a fazer parte do que entendemos como o eu. Nossa personalidade, que é condicionada pelo passado, se torna nossa prisão. Essas memórias são investidas de uma percepção do eu, e nossa história passa a ser a percepção que temos de nós mesmos. Esse "pequeno eu" é uma ilusão que obscurece nossa verdadeira identidade como a presença eterna e sem forma.

Nossa história, porém, é formada por lembranças mentais e emocionais – emoções antigas que são revividas continuamente. Assim como o monge que carregou o fardo do ressentimento por cinco horas, alimentando-o com pensamentos, a maioria das pessoas leva consigo uma grande quantidade de bagagem desnecessária, tanto mental quanto emocional, ao longo de toda a vida. Esses indivíduos se limitam com ressentimentos, arrependimentos, hostilidade e culpa. Seu pensamento emocional se torna seu eu e, assim, eles se apegam a velhas emoções porque estas fortalecem sua identidade.

Por causa da tendência humana de perpetuar emoções antigas, quase todo mundo carrega no seu campo energético um acúmulo de antigas dores emocionais, que eu chamo de "corpo de dor".

Podemos, no entanto, parar de acrescentar ao corpo de dor aquilo que já temos. Somos capazes de aprender a refrear o hábito de acumular e perpetuar antigas emoções batendo nossas asas, metaforicamente falando, e nos abstendo de viver com a mente no passado, não importa se um incidente aconteceu ontem ou 30 anos atrás. Temos como aprender a não manter vivos acontecimentos e situações e, em vez disso, sempre dirigir a atenção para o momento presente – puro, atemporal –, em vez de nos deixarmos atrair por histórias mentais produzidas pela mente.

Assim, nossa própria presença se torna nossa identidade, e não nossos pensamentos e nossas emoções.

Absolutamente nada que tenha acontecido no passado pode nos impedir de estar presentes agora. E, se o passado não tem como evitar nosso estado de presença, que poder ele tem?

O INDIVIDUAL E O COLETIVO

Toda emoção negativa que não é plenamente enfrentada nem considerada pelo que ela é no momento em que se manifesta não se dissipa por inteiro. Deixa atrás de si um traço remanescente de dor.

Para as crianças, em especial, as emoções negativas muito fortes são tão insuportáveis que elas não conseguem enfrentá-las, por isso tendem a evitá-las. Na ausência de um adulto consciente que as oriente com amor e sensibilidade a lidar de forma direta com esse tipo de emoção, a decisão de não sentir é, na verdade, a única opção da criança naquele momento. Infelizmente, em geral, esse mecanismo básico de defesa continua a vigorar até à vida adulta. A emoção sobrevive sem que a pessoa perceba e manifesta-se de maneira indireta – por exemplo, como ansiedade, raiva, explosões violentas, mau humor ou até mesmo como uma doença. Em alguns casos, ela interfere em todos os relacionamentos íntimos, podendo até mesmo sabotá-los. A maioria dos psicoterapeutas tem pacientes que, no início, afirmam ter vivido uma infância feliz, mas, com o tempo, o oposto acaba se revelando. Embora esses exemplos possam ser extremos, ninguém passa pela infância sem experimentar algum tipo de sofrimento emocional. Mesmo que nossos pais vivessem de modo consciente, teríamos sido criados num mundo que, em grande parte, permanece inconsciente.

As sobras de dor deixadas para trás a cada forte emoção negativa que não é enfrentada, aceita e depois abandonada de forma plena juntam-se formando um campo energético que vive em cada uma das células do corpo. Elas incluem não só os sofrimentos da infância como as emoções dolorosas que se agregam a eles depois, na adolescência e durante a vida adulta – e essas dores, em grande parte, são criadas pela voz do ego. É o sofrimento emocional que passa a ser nosso companheiro inevitável quando uma falsa sensação do eu é a base da nossa vida.

Esse campo energético de emoções muito antigas, mas ainda vivas, que subsiste em quase todos os seres humanos é o corpo de dor.

O corpo de dor, porém, não tem uma natureza apenas individual. Ele também engloba o sofrimento experimentado por um número incontável de pessoas ao longo da história da humanidade. Essa dor se caracteriza por um conflito tribal ininterrupto, escravidão, pilhagem, sequestros, torturas e outras formas de violência. Tal sofrimento ainda vive na psique coletiva e é aumentado todos os dias, como podemos constatar quando assistimos aos noticiários ou presenciamos os conflitos nos relacionamentos entre as pessoas. O corpo de dor coletivo é provavelmente codificado dentro do DNA de cada ser humano, embora não o tenhamos descoberto ainda.

Todo recém-nascido traz um corpo de dor emocional. No caso de alguns bebês, ele é mais pesado e mais denso do que em outros. Algumas dessas crianças são muito felizes na maior parte do tempo, enquanto outras parecem carregar uma imensa quantidade de infelicidade dentro de si. É verdade que há bebês que choram demais porque não recebem amor e atenção suficientes, porém outros choram sem nenhuma razão aparente, quase como se estivessem tentando tornar todos ao redor tão infelizes quanto eles próprios – e geralmente conseguem. Eles chegam a este mundo com uma porção significativa do sofrimento humano. Existem ainda os recém-nascidos que choram com frequência porque sentem a emanação das emoções negativas do pai ou da mãe, e isso lhes causa sofrimento e também faz seu corpo de dor aumentar pela absorção da energia dos corpos de dor dos pais. Seja qual for o caso, à medida que o corpo físico do bebê cresce, o mesmo acontece com o corpo de dor.

Uma criança pequena que tem um corpo de dor leve não será necessariamente um adulto "mais avançado" em termos espirituais do que alguém com um corpo de dor denso. Na verdade, em geral acontece o contrário. Quem tem um corpo de dor pesado costuma ter mais chance de despertar espiritualmente do que quem possui um corpo de dor leve. Embora algumas dessas pessoas permaneçam presas ao seu corpo de dor pesado, muitas chegam a um ponto em que não conseguem mais viver com a infelicidade, e assim sua motivação para despertar se fortalece.

Por que o corpo de Cristo em sofrimento, sua face distorcida em agonia e seu corpo sangrando com numerosos ferimentos, é uma imagem tão significativa na consciência coletiva da humanidade? Milhões de pessoas, sobretudo na época medieval, não teriam tido uma afinidade tão profunda com ele, caso alguma coisa dentro delas mesmas não estivesse em consonância com essa imagem, se elas não a tivessem inconscientemente reconhecido como uma representação exterior da sua própria realidade interior – o corpo de dor. As pessoas ainda não estavam conscientes o bastante para reconhecê-lo dentro de si mesmas, porém era o começo da sua tomada de consciência em relação a ele. Cristo pode ser considerado o arquétipo humano, incorporando tanto o sofrimento quanto a possibilidade de transcendência.

COMO O CORPO DE DOR SE RENOVA

O corpo de dor é uma forma de energia semiautônoma que vive dentro da maioria dos seres humanos, uma entidade constituída de emoção. Ele tem sua própria inteligência primitiva, como um animal astuto, e ela é dirigida basicamente para a sobrevivência.

Assim como todas as formas de vida, o corpo de dor precisa se alimentar com regularidade, e o alimento de que ele necessita consiste numa energia que é compatível com sua natureza, isto é, que vibra numa frequência semelhante à sua. Qualquer sensação dolorosa em termos emocionais pode ser usada como alimento. É por isso que ele prospera com o pensamento negativo e também com o conflito nos relacionamentos. O corpo de dor é viciado em infelicidade.

Podemos ficar chocados quando alcançamos a compreensão de que existe alguma coisa dentro de nós que busca regularmente o negativismo emocional, a infelicidade. Precisamos até mesmo de mais consciência para detectar esse processo dentro de nós do que para reconhecê-lo em alguém. Depois que a infelicidade assume o controle, não só não queremos que ela termine como também desejamos fazer com que os outros sejam tão infelizes quanto nós para que possamos nos alimentar das suas reações emocionais negativas.

No caso da maioria das pessoas, o corpo de dor apresenta um estágio latente e um estágio ativo. Quando ele está latente, nos esquecemos com a maior facilidade de que carregamos uma pesada nuvem escura ou um vulcão adormecido dentro de nós, dependendo do campo energético do nosso corpo de dor em especial. O tempo que ele permanece nessa condição varia de pessoa para pessoa: o mais comum é que se mantenha assim por poucas semanas, no entanto isso pode durar de dias a meses. Em casos raros, o corpo de dor pode ficar em estado de hibernação durante anos antes de ser despertado por um acontecimento.

COMO O CORPO DE DOR SE ALIMENTA DOS PENSAMENTOS

O corpo de dor desperta da sua dormência quando sente fome, na hora de se realimentar. Mas isso também pode ser provocado por um acontecimento a qualquer momento. Às vezes, o corpo de dor que está pronto para se nutrir usa o fato mais insignificante como um estímulo – de algo que alguém diz ou faz a um pensamento. Se vivemos sozinhos ou caso não haja ninguém próximo a nós no momento, ele irá se alimentar dos nossos pensamentos, que, de repente, se tornarão profundamente negativos. Em geral, não temos consciência de que, pouco antes do surgimento desse fluxo de pensamentos ruins, uma onda de emoções invade nossa mente na forma de um humor sombrio e pesado, de ansiedade ou de raiva extrema. Todo pensamento é energia, e nesse instante o corpo de dor está se abastecendo com essa energia. Contudo, ele não pode se alimentar de qualquer pensamento. Não precisamos ser especialmente sensíveis para observar que os pensamentos positivos têm um tom de sentimento diferente daqueles que são negativos. É a mesma energia, porém ela vibra em outra frequência. O corpo de dor não consegue digerir um pensamento feliz. Ele só tem capacidade para consumir os pensamentos negativos porque apenas esses são compatíveis com seu próprio campo de energia.

Todas as coisas são campos de energia vibratória num movimento incessante. A cadeira em que estamos sentados ou o livro que seguramos nas mãos parecem sólidos e imóveis somente porque é assim que nossos sentidos percebem sua frequência vibratória, isto é, o movimento contínuo das moléculas, dos átomos, dos elétrons e das partículas subatômicas – elementos que, juntos, criam aquilo que percebemos como uma cadeira, um livro, uma árvore, um corpo, etc. O que consideramos matéria física é energia vibratória (em movimento) numa determinada extensão de frequências. Os pensamentos são constituídos dessa mesma energia, que vibra numa frequência superior à da matéria, e é por isso que não podem ser vistos nem tocados. Eles têm sua própria extensão de frequências, com os pensamentos negativos na extremidade inferior da escala e os pensamentos positivos na extremidade superior. A frequência vibratória do corpo de dor encontra eco na dos pensamentos negativos, assim apenas estes últimos podem alimentá-lo.

O padrão usual de pensamento para criar emoções é revertido no caso do corpo de dor, pelo menos no início. A emoção que parte dele adquire rapidamente o controle do pensamento. E, uma vez que a mente é dominada pelo corpo de dor, o pensamento se torna negativo. A voz na nossa cabeça começa a contar histórias tristes, cheias de ansiedade e rancor que podem falar sobre nós, nossa vida, outras pessoas, o passado, o futuro ou acontecimentos imaginários. Essa voz será de censura, acusação, queixa, fantasia. E estabeleceremos uma total identificação com qualquer coisa que ela diga, acreditando em todos os seus pensamentos distorcidos. A essa altura, o vício da infelicidade terá se instalado em nós.

Não é que sejamos incapazes de deter o trem dos pensamentos negativos – o mais provável é que nos falte vontade de interromper seu curso. Isso acontece porque, nesse ponto, o corpo de dor está vivendo por nosso intermédio, fingindo ser nós. E, para ele, a dor é prazer. Ele devora ansiosamente todos os pensamentos negativos. Na verdade, a voz corrente na nossa cabeça torna-se a voz dele. E ela assume o diálogo interior. Um círculo vicioso se estabelece: todo pensamento nutre o corpo de dor, que, por sua vez, produz mais pensamentos. Em algum momento, após algumas horas ou até mesmo depois de poucos dias, ele estará realimentado e retornará ao seu estágio latente, deixando para trás um organismo exaurido e um corpo físico muito mais suscetível à doença. Se ele lhe parece um parasita psíquico, você está certo. É exatamente o que ele é.

COMO O CORPO DE DOR SE ALIMENTA DO CONFLITO

Se houver outras pessoas por perto, em geral nosso parceiro ou nossa parceira ou um parente próximo, o corpo de dor tentará provocá-los – levá-los ao limite, como se diz – para que possa se nutrir do conflito que resultará disso. Os corpos de dor adoram relacionamentos íntimos e famílias porque é deles que retiram a maior parte do seu alimento. É difícil resistirmos ao corpo de dor de alguém que esteja determinado a suscitar uma reação da nossa parte. Instintivamente, ele conhece nossos pontos mais fracos, mais vulneráveis. Se não for bem-sucedido da primeira vez, tentará de novo seguidas vezes. É emoção pura procurando mais emoção. O corpo de dor da outra pessoa quer despertar o nosso para que os dois corpos de dor se energizem mutuamente.

Muitos relacionamentos são marcados por episódios violentos e destrutivos envolvendo o corpo de dor. Esses enfrentamentos costumam ocorrer em intervalos regulares. Para uma criança pequena, é uma dor quase insuportável ter que testemunhar a agressividade emocional dos corpos de dor dos pais, embora essa seja a sina de milhões de crianças em todo o mundo, o pesadelo da sua existência cotidiana. Essa é também uma das principais maneiras de se transmitir o corpo de dor humano de uma geração à outra. Depois de cada incidente desse tipo, os parceiros se reconciliam e se estabelece uma fase de paz relativa que terá a duração que o ego permitir.

O consumo excessivo de álcool costuma fortalecer o corpo de dor, sobretudo no caso dos homens, mas isso também ocorre com algumas mulheres. Quando uma pessoa se embriaga, ela passa por uma completa mudança de personalidade enquanto o corpo de dor assume o controle. Em geral, um indivíduo profundamente inconsciente cujo corpo de dor está habituado a se realimentar por meio da violência física a direciona para o cônjuge ou para os filhos. Depois que o efeito do álcool passa, ele se arrepende de verdade e às vezes até diz que nunca mais repetirá a cena e acredita nisso. Porém, a pessoa que está falando e fazendo promessas não é a entidade que cometeu a violência. Assim, podemos ter certeza de que aquilo acontecerá de novo por vezes seguidas, a não ser que essa pessoa se torne presente, reconheça o corpo de dor em si mesma e abandone sua identificação com ele. Em alguns casos, o aconselhamento consegue ajudá-la a fazer isso.

A maioria dos corpos de dor quer tanto infligir quanto sentir dor, contudo alguns deles são predominantemente agressores ou vítimas. Em ambos os casos, eles se alimentam da violência, tanto emocional quanto física. Algumas pessoas que pensam estar "apaixonadas" estão na verdade se sentindo atraídas uma pela outra porque seus respectivos corpos de dor se complementam. Às vezes, os papéis de agressor e de vítima se definem já no seu primeiro contato. Embora muita gente acredite que certos casamentos foram feitos no céu, na realidade eles se realizaram no inferno.

Se você já conviveu com um gato, deve ter percebido que, até mesmo quando esse animal aparenta estar dormindo, ele sabe o que está se passando ao redor, pois, ao menor ruído inesperado, suas orelhas se direcionam para a fonte do barulho e seus olhos podem até se entreabrir ligeiramente. Com os corpos de dor latentes acontece a mesma coisa. Em algum nível, eles ainda estão despertos, prontos para entrar em ação quando um estímulo adequado se apresenta.

Nos relacionamentos íntimos, os corpos de dor costumam ser espertos o bastante para permanecer discretos até que as duas pessoas comecem a viver juntas e, de preferência, assinem um contrato comprometendo-se a ficar unidas pelo resto da vida. Nós não nos casamos apenas com uma mulher ou com um homem, também nos casamos com o corpo de dor dessa pessoa. Pode ser um verdadeiro choque quando – talvez não muito tempo depois de começarmos a viver sob o mesmo teto ou após a lua de mel – vemos que nosso parceiro ou nossa parceira está exibindo uma personalidade totalmente diferente. Sua voz se torna mais áspera ou aguda quando nos acusa, nos culpa ou grita conosco, em geral por uma questão de menor importância. Há casos também em que essa pessoa passa a ficar retraída.

– O que há de errado? – perguntamos.

– Não há nada de errado – ela responde.

Mas a energia intensamente hostil que ela transmite está dizendo:

– Está tudo errado.

Quando olhamos para ela, vemos que já não há luz nos seus olhos – é como se um pesado véu tivesse descido, e o ser que conhecemos e amamos e que antes era capaz de brilhar sobrepondo-se ao ego agora está inteiramente obscurecido. Parece que estamos diante de um verdadeiro estranho cujos olhos mostram apenas rancor, hostilidade, amargura ou raiva. Quando ele nos dirige suas palavras, não é nosso cônjuge que está falando, mas o corpo de dor se expressando por meio dele. Qualquer coisa que esteja dizendo é a versão da realidade do corpo de dor, algo distorcido pelo medo, pela hostilidade, pela ira e pelo desejo de infligir e receber mais sofrimento.

A essa altura, podemos nos perguntar se essa é a verdadeira face daquela pessoa – a que nunca tínhamos visto antes – e se cometemos um grande erro quando a escolhemos como companheira. Na realidade, essa não é sua face genuína, apenas o corpo de dor que assumiu temporariamente o controle. Seria difícil encontrar um parceiro ou uma parceira que não carregasse um corpo de dor, no entanto seria sensato escolher alguém que não tivesse um corpo de dor tão denso.

CORPOS DE DOR DENSOS

Algumas pessoas carregam corpos de dor tão densos que nunca se encontram completamente adormecidos. Elas podem estar sorrindo e mantendo uma conversa educada, mas não é preciso ser paranormal para sentir o caldeirão fervente de emoções infelizes que elas mantêm em segundo plano, esperando pelo próximo acontecimento para reagir, pela próxima pessoa para culpar ou confrontar, pela próxima coisa que as deixará tristes. Seu corpo de dor nunca se satisfaz, está sempre faminto. Ele aumenta a necessidade de inimigos que é cultivada pelo ego.

Com sua atitude reativa, elas lidam com questões quase insignificantes de modo explosivo, numa tentativa de atrair outras pessoas para seu próprio conflito fazendo-as reagir. Algumas delas se envolvem em batalhas longas e sem sentido ou em casos judiciais com organizações ou indivíduos. Outras são consumidas por um rancor obsessivo em relação ao ex-cônjuge ou parceiro(a). Inconscientes da dor que carregam dentro de si, elas a projetam, com sua reação, nos acontecimentos e nas situações. Dada sua completa falta de autoconsciência, essas pessoas não conseguem perceber a diferença entre um fato e sua reação a ele. Para elas, a infelicidade e até mesmo a própria dor estão no acontecimento ou na situação. Como não estão conscientes do seu estado interior, nem sequer sabem que estão profundamente infelizes, que estão sofrendo.

Às vezes, pessoas com corpos de dor desse tipo se tornam ativistas que lutam por uma causa. O lema que defendem pode ter de fato seu valor – e elas a princípio podem até ser bem-sucedidas na execução das coisas. No entanto, a energia negativa que flui do que elas dizem e fazem, bem como sua inconsciente necessidade de criar inimigos e conflitos, tende a produzir uma oposição crescente à sua causa. Essas pessoas também costumam fazer desafetos dentro da própria organização, porque, não importa onde estejam, descobrem motivos para se sentir mal. Assim, seu corpo de dor continua a encontrar exatamente o que está procurando.

O ENTRETENIMENTO, A MÍDIA E O CORPO DE DOR

Se você não tivesse familiaridade com nossa civilização contemporânea, caso tivesse acabado de chegar de outra época ou de outro planeta, uma das coisas que mais o impressionariam seria constatar que milhões de pessoas adoram ver seres humanos matar e infligir dor uns aos outros e chamam isso de "entretenimento". E que pagam para ter essa diversão.

Por que os filmes violentos atraem um público tão grande? Existe toda uma indústria envolvida nessa questão, e uma boa parte dela alimenta o vício humano da infelicidade. Obviamente, as pessoas assistem a essas produções porque querem se sentir mal. O que há nos indivíduos que adoram se sentir mal e dizer que isso é bom? O corpo de dor, é claro. Há uma participação considerável da indústria do entretenimento nesse processo. Portanto, além da atitude reativa, do pensamento negativo e do conflito pessoal, o corpo de dor também usa a tela do cinema e da televisão para se renovar por meio deles. Corpos de dor escrevem e produzem esses filmes e corpos de dor pagam para vê-los.

Será sempre "errado" mostrar a violência e vê-la na televisão e no cinema? Toda essa violência alimenta o corpo de dor? No atual estágio evolucionário da humanidade, ela não só permeia tudo como se encontra em ascensão enquanto a antiga consciência egoica, ampliada pelo corpo de dor coletivo, se intensifica antes da sua inevitável extinção. Se os filmes apresentam a violência no seu contexto mais amplo, se exibem sua origem e suas consequências, se revelam o que ela causa às vítimas assim como aos agressores, se mostram a inconsciência coletiva que está por trás dela e como é passada adiante de geração para geração (a raiva e o ódio que vivem nos seres humanos na forma do corpo de dor), então eles desempenham uma função vital no despertar da humanidade. Essas produções podem funcionar como um espelho em que nossa espécie vê sua própria insanidade. Aquilo em nós que reconhece a loucura como loucura (até mesmo se é nossa própria loucura) é sanidade, é a consciência emergente, é o fim da insanidade.

Esses filmes de fato existem e não nutrem o corpo de dor. Alguns dos melhores filmes contra a guerra são os que mostram a realidade, e não uma versão glamourosa dos conflitos. O corpo de dor só consegue se alimentar daquelas produções em que a violência é retratada como um comportamento humano normal ou até mesmo desejável e daquelas que a glorificam com o único propósito de gerar emoção negativa no espectador e, assim, se tornar um "remédio" para o corpo de dor viciado em sofrimento.

Basicamente, os jornais populares não vendem notícias, mas emoções negativas – alimentos para o corpo de dor. "Atrocidade" ou "Carnificina", destaca o título em letras garrafais. Essas publicações se superam nesse terreno. Sabem que as emoções negativas vendem muito mais exemplares do que as notícias.

Existe uma tendência nos veículos de informação em geral, incluindo a televisão, de exacerbar os fatos negativos. Quanto mais as coisas pioram, mais exaltados se mostram os apresentadores – e a agitação negativa costuma ser produzida pela própria mídia. Os corpos de dor simplesmente a adoram.

O CORPO DE DOR FEMININO COLETIVO

A dimensão coletiva do corpo de dor apresenta componentes diferentes. Tribos, nações, raças, todos têm seu corpo de dor coletivo, e alguns são mais pesados do que os outros. A maioria dos integrantes de cada um desses grupos participa dele em maior ou menor grau.

Quase toda mulher tem sua parcela no corpo de dor feminino coletivo, que tende a se tornar ativado especialmente no período que precede a menstruação. Nessa fase, muitas mulheres são dominadas por uma intensa emoção negativa.

A supressão do princípio feminino, sobretudo ao longo dos últimos 2 mil anos, permitiu que o ego ganhasse absoluta supremacia na psique humana coletiva. Embora as mulheres tenham ego, é claro, ele pode enraizar-se e prosperar com mais facilidade na forma masculina do que na feminina. Isso acontece porque as mulheres se identificam menos com a mente do que os homens. Elas estão mais em contato com o corpo interior e a inteligência do organismo, que dão origem às faculdades intuitivas. A forma feminina não se encontra tão rigidamente encapsulada quanto a masculina, tem maior abertura e sensibilidade em relação às outras formas de vida e está mais sintonizada com o mundo natural.

Se o equilíbrio entre as energias masculina e feminina não tivesse acabado no nosso planeta, o crescimento do ego teria sido limitado de modo significativo. Não teríamos declarado guerra à natureza e não seríamos tão completamente alienados do nosso Ser.

Ninguém tem o número exato porque não foram mantidos registros, mas acredita-se que ao longo de 300 anos entre 3 e 5 milhões de mulheres foram torturadas e mortas pela "Santa Inquisição", uma instituição fundada pela Igreja Católica Romana para reprimir a heresia. Esse acontecimento se equipara ao Holocausto como um dos capítulos mais sombrios da história da humanidade. Bastava uma mulher mostrar amor pelos animais, caminhar sozinha nos campos ou nas florestas ou colher plantas medicinais para ser considerada bruxa, torturada e condenada a morrer na fogueira. O sagrado feminino foi declarado demoníaco e toda uma dimensão desapareceu significativamente da experiência humana. Outras culturas e religiões, como o judaísmo, o islamismo e até mesmo o budismo, também reprimiram a dimensão feminina, embora de uma maneira menos violenta. O papel das mulheres foi reduzido a cuidar dos filhos e da propriedade masculina. Os homens, que negavam o feminino até dentro de si mesmos, agora comandavam o mundo, um mundo que estava em total desequilíbrio. O resto é história, ou melhor, o histórico de um caso de insanidade.

Quem foi responsável por esse medo do feminino que só pode ser descrito como uma paranoia coletiva aguda? Poderíamos dizer: evidentemente, os homens foram os responsáveis. Mas então por que em muitas civilizações antigas pré-cristãs, como a suméria, a egípcia e a celta, as mulheres eram respeitadas e o princípio feminino não era temido, e sim reverenciado? O que foi que de repente levou os homens a se sentir ameaçados pelo feminino? O ego que se desenvolvia neles. Ele sabia que só conseguiria obter o pleno controle do planeta por meio da forma masculina e, para fazer isso, tinha que tornar o feminino menos poderoso.

Além disso, o ego também dominou a maioria das mulheres, embora jamais fosse capaz se de se enraizar tão profundamente nelas quanto fez com os homens.

Hoje em dia, a supressão do feminino está interiorizada, até mesmo pela maior parte das mulheres. O sagrado feminino, por ser reprimido, é sentido por elas como uma dor emocional. Na verdade, ele se tornou parte do seu corpo de dor juntamente com o sofrimento que elas acumularam ao longo de milênios por meio do parto, do estupro, da escravidão, da tortura e da morte violenta.

No entanto, agora as coisas estão mudando num ritmo muito veloz. Como muitas pessoas estão se tornando mais conscientes, o ego vem perdendo influência sobre a mente humana. Uma vez que ele nunca se enraizou profundamente nas mulheres, seu domínio sobre elas está se reduzindo mais rápido do que sobre os homens.

CORPOS DE DOR DE PAÍSES E RAÇAS

Determinados países que cometeram ou sofreram muitos atos de violência coletiva possuem um corpo de dor coletivo mais pesado do que outros. É por isso que as nações mais antigas tendem a ter corpos de dor mais fortes. Também é por esse motivo que os países mais jovens, como o Canadá e a Austrália – bem como aqueles que permaneceram mais protegidos da loucura circundante, como a Suíça –, costumam apresentar um corpo de dor coletivo mais leve. É claro que nesses lugares as pessoas ainda precisam lidar com seu corpo de dor individual. Quem é sensível o bastante consegue sentir um peso opressivo no campo energético de determinados países no instante em que desce do avião. Em outras nações, é possível detectar um campo energético de violência latente sob a superfície da vida cotidiana.

Nos países em que o corpo de dor é pesado, porém não mais agudo, a tendência das pessoas tem sido a de tentar se dissociar da dor emocional coletiva: na Alemanha e no Japão por meio do trabalho, em outros lugares pela tolerância generalizada ao consumo do álcool (que também pode ter o efeito contrário de estimular o corpo de dor, sobretudo quando ingerido em excesso). O corpo de dor pesado da China é até certo ponto abrandado pela prática amplamente disseminada do tai chi chuan. Todos os dias, nas ruas e nos parques da cidade, milhões de pessoas realizam essa meditação em movimento que acalma a mente. Isso faz uma diferença considerável no campo energético coletivo e avança um pouco no sentido de diminuir o corpo de dor pela redução do pensamento e o estabelecimento do estado de presença.

As práticas espirituais que envolvem o corpo físico, como o tai chi, o *qigong* e a ioga, também estão sendo cada vez mais adotadas no mundo ocidental. Essas técnicas não criam uma separação entre o corpo e o espírito e ajudam a enfraquecer o corpo de dor. Elas desempenham um papel importante no despertar mundial.

O corpo de dor racial coletivo é muito forte no caso do povo judeu, que sofreu perseguições ao longo de muitos séculos. Não surpreende que ele também seja acentuado nos povos indígenas americanos, que foram dizimados e cuja cultura foi quase toda destruída pelos colonizadores europeus. No que diz respeito aos afro-americanos, o corpo de dor coletivo é igualmente denso. Seus ancestrais foram arrancados com violência de sua terra natal, forçados à submissão e vendidos como escravos. O fundamento da prosperidade econômica dos Estados Unidos dependeu do trabalho de 4 a 5 milhões de escravos negros. Na verdade, o sofrimento não ficou limitado aos indígenas e afro-americanos – ele se tornou parte do corpo de dor coletivo do país. Ocorre que tanto a vítima quanto o agressor sempre sofrem as consequências de qualquer ato de violência, opressão ou brutalidade. Porque o que fazemos aos outros fazemos a nós mesmos.

Na realidade, não importa que proporção do nosso corpo de dor pertence à nossa nação ou raça e que proporção é pessoal. Seja como for, só conseguimos superá-lo assumindo a responsabilidade pelo nosso estado interior no momento. Mesmo que culpar pareça algo mais do que justificado (desde que culpemos os outros, é claro), continuamos a alimentar o corpo de dor com nossos pensamentos e permanecemos presos ao ego. Existe apenas um praticante do mal no planeta: a inconsciência humana. Compreender isso é o caminho para o perdão. Quando perdoamos, nossa identidade de vítima se dissipa e nossa verdadeira força se manifesta – a força da presença. Portanto, em vez de culpar a escuridão, acenda a luz.

Capítulo seis

A LIBERTAÇÃO

O começo da nossa libertação do corpo de dor está primeiramente na compreensão de que o *temos*. Depois, e mais importante, na nossa capacidade de permanecer presentes o bastante, isto é, atentos o suficiente, para percebê-lo como um pesado influxo de emoções negativas quando entra em atividade. No instante em que é reconhecido, ele não consegue mais se passar por nós e viver e se renovar por nosso intermédio.

É nossa presença consciente que rompe a identificação com o corpo de dor. Quando não nos identificamos mais com ele, o corpo de dor torna-se incapaz de controlar nossos pensamentos e, assim, não consegue se renovar, pois deixa de se alimentar deles. Na maioria dos casos, ele não se dissipa imediatamente. No entanto, assim que desfazemos sua ligação com nosso pensamento, ele começa a perder energia. O pensamento para de ser embotado pela emoção, enquanto nossas percepções do momento não são mais distorcidas pelo passado. A energia que estava presa no corpo de dor muda sua frequência vibracional e é convertida em presença. Dessa maneira, o corpo de dor se torna combustível para a consciência. É por isso que muitas das pessoas mais sábias e iluminadas do planeta, entre homens e mulheres, já tiveram um corpo de dor bastante pesado.

Independentemente do que dizemos ou fazemos e da face que mostramos ao mundo, nosso estado "mental-emocional" não pode ser dissimulado. Todo ser humano emana um campo energético que corresponde ao seu estado interior, e a maioria das pessoas é capaz de senti-lo, ainda que essa emanação de energia só seja captada de modo subliminar. Isso significa que, embora elas não saibam que percebem esse campo energético, ele determina em grande medida como elas se sentem em relação a um indivíduo e reagem a ele. Há quem tenha uma consciência mais clara do campo energético já no primeiro contato com alguém, até mesmo antes que quaisquer palavras sejam ditas. Um pouco depois, porém, as palavras dominam o relacionamento e, com elas, vêm os papéis que quase todos nós representamos. Com isso, a atenção se desloca para o âmbito da mente, e a capacidade de sentir o campo energético do outro se reduz de modo significativo. Mesmo assim, ele ainda é percebido no nível inconsciente.

Quando compreendemos que os corpos de dor buscam inconscientemente mais sofrimento, isto é, que eles querem que algo ruim aconteça, passamos a entender que muitos acidentes de trânsito são causados por motoristas cujo corpo de dor estava em atividade naquele momento. Sempre que dois motoristas com corpos de dor ativos chegam a um cruzamento ao mesmo tempo, a probabilidade de haver um acidente é bem maior do que em circunstâncias normais. De forma inconsciente, ambos desejam a colisão. O papel dos corpos de dor nesse tipo de ocorrência se torna mais óbvio no fenômeno chamado "briga de trânsito", quando os motoristas se tornam fisicamente violentos, em geral por causa de uma questão banal, como o fato de alguém dirigir muito devagar à sua frente.

Muitos atos de violência são cometidos por pessoas "normais" que se transformam temporariamente em seres desequilibrados. Em julgamentos criminais em todas as partes do mundo, advogados de defesa costumam dizer frases como "Ele estava completamente fora de si", enquanto os acusados afirmam algo do tipo "Não sei o que deu em mim". Até onde eu sei, nenhum advogado de defesa forneceu a seguinte explicação ao juiz: "Este é um caso de responsabilidade reduzida. Meu cliente estava com o corpo de dor ativo, por isso não sabia o que estava fazendo. Na verdade, não foi ele que fez aquilo, e sim seu corpo de dor." Talvez não esteja longe o dia em que coisas assim comecem a ser ouvidas nos tribunais.

Será que isso significa que as pessoas não são responsáveis por seus atos quando estão possuídas pelo corpo de dor? Minha resposta é: como podem ser? Como é possível alguém responder por suas atitudes se está inconsciente, se não sabe o que está fazendo? No entanto, no quadro mais amplo das coisas, os seres humanos devem evoluir como seres conscientes, e os que não seguem esse caminho sofrem as consequências da sua inconsciência. Eles não estão alinhados com o impulso evolucionário do universo.

E até mesmo essa afirmação só é verdadeira em parte. De uma perspectiva superior, é impossível não estar alinhado com a evolução do universo. Até mesmo a inconsciência humana e a dor que ela produz fazem parte desse progresso. Quando não conseguimos mais suportar o ciclo interminável de sofrimento, começamos a despertar. Portanto, o corpo de dor também ocupa um lugar necessário no quadro mais amplo.

A PRESENÇA

Uma mulher na faixa dos 30 anos de idade veio se consultar comigo. Enquanto ela me cumprimentava, senti o sofrimento por trás do seu sorriso educado e superficial. Ela começou contando a história da sua vida e, um segundo depois, seu sorriso se tornou uma expressão de dor. Em seguida, começou a soluçar de maneira incontrolável. Disse que se sentia solitária e insatisfeita. Acalentava muita raiva e tristeza. Quando criança, fora vítima de maus-tratos infligidos por um pai violento. Logo constatei que sua infelicidade não era causada pelas circunstâncias da sua vida atual, e sim por um corpo de dor muito pesado que se tornara o filtro através do qual ela analisava sua situação de vida. Essa mulher ainda não era capaz de detectar a ligação entre a dor emocional e seus pensamentos e estava identificada com ambos. Ela não conseguia ver que continuava alimentando o corpo de dor com seus pensamentos. Em outras palavras, vivia com o fardo de um eu profundamente infeliz. De algum modo, contudo, deve ter compreendido que a origem daquilo estava no seu próprio interior, que ela era uma carga para si mesma. E estava pronta para despertar – por esse motivo decidira ir àquela consulta.

Direcionei o foco da sua atenção para o que estava se passando dentro do seu próprio corpo e lhe pedi que sentisse a emoção diretamente, que não usasse o filtro dos seus pensamentos infelizes, da sua história triste. Ela disse que esperava que eu lhe mostrasse o caminho para sair da infelicidade, e não para entrar nela. Porém, mesmo relutante, atendeu minha solicitação. As lágrimas rolavam por sua face, todo o seu corpo tremia.

– *Neste momento*, o que você sente é isto – eu disse. – E não há nada que você possa fazer nesse sentido. Mas, em vez de querer que este momento seja diferente do que ele é, o que lhe causa ainda mais sofrimento, consegue admitir completamente que isto é o que você está sentindo neste exato instante?

Ela ficou calada por alguns segundos e depois respondeu com raiva:

– Não, não quero aceitar isso.

– Quem está falando? – perguntei. – Você ou sua infelicidade? Consegue ver que sua infelicidade com o fato de ser uma pessoa triste é apenas outra camada de infelicidade?

Mais uma vez ela se manteve calada.

– Não estou lhe dizendo para *fazer* alguma coisa. Tudo o que estou pedindo é que descubra se tem condições de permitir que esses sentimentos permaneçam com você. Em outras palavras, e elas podem parecer estranhas: se você não se importar em ser infeliz, o que acontecerá com a infelicidade? Não quer descobrir?

Por um instante ela pareceu confusa e ficou sentada ali em silêncio por um minuto mais ou menos. De repente, notei uma mudança significativa no seu campo energético. Depois respondeu:
– Isto é esquisito. Ainda estou infeliz, mas agora existe um espaço em volta da minha infelicidade. Ela parece ter menos importância.

Essa foi a primeira vez que ouvi alguém descrever a situação desta maneira: existe um espaço ao redor da minha infelicidade. Esse espaço, é claro, é criado quando há aceitação interior de qualquer coisa que estejamos sentindo no momento.

Não falei muito depois disso para permitir que ela vivenciasse a experiência. Mais tarde, essa mulher compreendeu o que havia acontecido. No momento em que ela interrompeu a identificação com o sentimento, isto é, com a antiga emoção dolorosa que acalentava, no instante em que lhe dirigiu sua atenção sem tentar resistir, essa emoção deixou de ter a capacidade de controlar seu pensamento e, assim, de se misturar a uma história construída mentalmente chamada "Como sou infeliz". Outra dimensão havia se manifestado na sua vida e transcendia seu passado – a dimensão da presença. Como ninguém pode ser infeliz sem uma história triste, aquilo representava o término daquele sofrimento. E também o começo do fim do seu corpo de dor. A emoção em si não é infelicidade. Apenas a emoção associada a uma história triste é infelicidade.

Depois de encerrada a sessão, foi gratificante saber que eu tinha acabado de testemunhar o surgimento da presença em alguém. A própria razão da nossa existência na forma humana é trazer essa dimensão de consciência para o mundo. Eu também assistira a uma diminuição do corpo de dor, e não lutando contra ele, mas levando-lhe a luz da consciência.

Minutos depois que essa mulher saiu, recebi a visita de uma amiga. Assim que ela entrou na sala, perguntou: "O que aconteceu aqui? A energia parece pesada, sombria. Estou até me sentindo um pouco mal. Você precisa abrir as janelas, acender um incenso."

Expliquei que eu tinha acabado de testemunhar uma importante liberação de energia numa pessoa que tinha o corpo de dor muito denso. Portanto, aquilo que ela estava sentindo devia ser o resto da energia que fora emanada durante a sessão. Minha amiga, porém, recusou-se a ficar e escutar. Tudo o que ela queria era sair dali o mais rápido possível.

Abri as janelas e saí para jantar num restaurante indiano nas redondezas. O que aconteceu enquanto permaneci ali foi uma confirmação adicional e muito clara do que eu já sabia: todos os corpos de dor humanos, que aparentemente são individuais, estão interligados em algum nível. No entanto, a forma que essa ratificação em particular assumiu foi uma espécie de choque.

O RETORNO DO CORPO DE DOR

Sentei-me e pedi uma refeição. Havia poucos clientes no restaurante além de mim. Próximo à minha mesa, um homem de meia-idade numa cadeira de rodas acabava de jantar. Ele me dirigiu o olhar uma vez – foi rápido, mas intenso. Alguns minutos se passaram. De repente, ele ficou inquieto, agitado, seu corpo começou a se contrair. O garçom aproximou-se para retirar o prato. O homem começou a discutir com ele.

– A comida não estava boa. Estava horrível.

– Então por que o senhor comeu? – perguntou o garçom.

Bastou essa frase para deixá-lo furioso. Ele começou a gritar, tornou-se ofensivo. Palavrões saíam da sua boca. Um rancor intenso, violento, encheu o ambiente. Era possível sentir aquela energia entrando no corpo das pessoas à procura de algo a que pudesse se fixar. Agora o homem esbravejava também com os outros clientes. No entanto, por uma estranha razão, me ignorava completamente enquanto eu permanecia sentado num intenso estado de presença. Desconfiei de que o corpo de dor humano universal havia retornado para me dizer: "Você pensou que tinha me derrotado. Veja, ainda estou aqui." Também considerei a possibilidade de que o campo energético liberado durante a sessão com aquela mulher me seguira até o restaurante e se prendera à única pessoa ali que apresentava uma frequência vibracional compatível com a sua, isto é, um corpo de dor pesado.

O gerente abriu a porta do restaurante: "Por favor, retire-se, retire-se." O homem saiu zunindo na sua cadeira de rodas elétrica, deixando todos perplexos. Um minuto depois ele voltou. Seu corpo de dor ainda estava ativo. Precisava de mais. Ele escancarou a porta com a cadeira de rodas e começou a gritar obscenidades. Uma garçonete tentou impedi-lo de entrar. Ele acelerou a cadeira e imprensou a moça contra a parede. Alguns clientes acorreram para tentar puxá-lo dali. Gritos, berros, pandemônio. Um pouco depois chegou um policial. O homem sossegou, pediram-lhe que saísse e não voltasse mais. Por sorte, a garçonete não se feriu, sofreu apenas alguns arranhões na perna. Quando tudo acabou, o gerente aproximou-se da minha mesa e me perguntou, meio na brincadeira, mas talvez sentindo intuitivamente que havia alguma ligação: "Foi você que provocou tudo isso?"

O CORPO DE DOR NAS CRIANÇAS

O corpo de dor das crianças às vezes se manifesta como mau humor ou introspecção. A criança se retrai, recusa-se a se relacionar e pode ficar sentada num canto abraçando um boneco ou chupando o polegar. O corpo de dor também costuma se revelar por meio de acessos de choro ou de cólera. A criança grita, se atira ao chão ou se torna destrutiva. A frustração de um desejo tem a capacidade de estimular o corpo de dor com a maior facilidade. E, num ego em desenvolvimento, a força de um desejo por vezes é intensa. Os pais, impotentes e sem compreender o que está se passando, podem assistir perplexos enquanto seu pequeno anjo se transforma, de um instante para outro, num verdadeiro monstrinho. "De onde será que vem tanta infelicidade?", eles se perguntam. Numa extensão maior ou menor, é a parte que a criança detém no corpo de dor coletivo da humanidade que retorna à própria origem do ego humano.

Mas a criança pode também já ter absorvido sofrimento do corpo de dor dos pais, e então estes talvez vejam no filho um reflexo do que existe neles próprios. As crianças mais sensíveis são especialmente afetadas pelos corpos de dor do pai e da mãe. Testemunhar um desentendimento insano entre eles lhes causa um sofrimento emocional quase insuportável. Assim, são essas crianças sensíveis que tendem a se tornar adultos com um corpo de dor pesado. As crianças não se deixam enganar por pais que tentam ocultar seu corpo de dor, dizendo um para o outro: "Não devemos brigar na frente delas." Isso significa que, enquanto eles mantêm uma conversa educada, o lar vai sendo tomado pela energia negativa. Os corpos de dor reprimidos são extremamente tóxicos, mais ainda do que os que se manifestam com franqueza, e essa toxicidade física é absorvida pelas crianças e contribui para o desenvolvimento do seu próprio corpo de dor.

Algumas crianças aprendem subliminarmente sobre o ego e o corpo de dor apenas por viverem com pais muito inconscientes. Uma mulher cujos pais tinham ambos fortes egos e corpos de dor pesados me disse que, quando eles gritavam um com o outro, ela olhava na sua direção e, embora os amasse, dizia para si mesma: "Estas pessoas são doidas. Como é que eu vim parar aqui?" Já havia nela a consciência da insanidade de se viver dessa maneira. Graças a essa consciência, a quantidade de dor que ela absorveu dos pais foi reduzida.

Os pais costumam pensar em como agir em relação ao corpo de dor das suas crianças. Mas a pergunta básica obviamente é: será que eles conseguem lidar com seu próprio corpo de dor? Será que o reconhecem em si mesmos? Será que são capazes de se manter presentes o bastante quando ele entra em atividade para que possam estar conscientes da emoção no nível do sentimento antes que ela tenha uma chance de se tornar pensamento e depois uma "pessoa infeliz"?

Quando o corpo de dor de uma criança está se manifestando por meio de um ataque, não há muita coisa que os pais possam fazer, exceto se manter no estado de presença para que não sejam estimulados a ter uma reação emocional. O corpo de dor da criança se alimentaria dela. Às vezes, os corpos de dor são extremamente dramáticos. Mas os pais não precisam "embarcar" nesse descontrole. Não devem levá-lo muito a sério. Se o corpo de dor tiver sido despertado pela frustração de um desejo, eles não têm agora que se render às suas exigências. Caso contrário, a criança aprenderá a seguinte lição: "Quanto mais infeliz eu me tornar, maior será a probabilidade de conseguir o que quero." Essa é uma receita para que ela apresente distúrbios no futuro. Seu corpo de dor ficará decepcionado com a falta de reação do pai e da mãe e pode atuar por mais algum tempo antes de se acalmar. Ao contrário do que ocorre com os adultos, no caso das crianças, felizmente, esses episódios costumam ser mais breves.

Depois que a criança se acalmar ou talvez no dia seguinte, os pais podem conversar com ela sobre o que ocorreu. Mas não devem *contar* sobre o corpo de dor. Em vez disso, é melhor que lhe façam perguntas. Por exemplo: "O que deu em você ontem quando não conseguia parar de gritar? Você se lembra? Como se sentiu? Foi uma sensação boa? Aquela coisa que lhe aconteceu, será que tem um nome? Não? Caso tivesse um nome, qual seria? Se você pudesse vê-la, ela se pareceria com o quê? Você pode fazer um desenho dela? O que houve com ela depois que foi embora? Foi dormir? Você acha que ela pode voltar?"

Essas são apenas algumas sugestões de perguntas. Todas elas se destinam a despertar na criança sua capacidade de testemunhar, isto é, a presença. E irão ajudá-la a deixar de se identificar com o corpo de dor. Na próxima vez em que ela for tomada por um ataque, eles poderão dizer: "Aquela coisa está de volta, não é?" O ideal é que eles usem as mesmas palavras empregadas pela criança na primeira ocasião em que falarem sobre o assunto. A atenção dela deve ser dirigida para como ela *sente* aquilo. Os pais têm que demonstrar interesse ou curiosidade em vez de adotar uma atitude crítica e condenatória.

É improvável que isso venha a impedir que o corpo de dor continue seu curso, e pode parecer que a criança não está nem mesmo escutando os pais. Mesmo assim, alguma consciência permanecerá em segundo plano durante o período em que o corpo de dor estiver em atividade. Depois de alguns episódios, a consciência estará mais forte e o corpo de dor terá enfraquecido. É dessa forma que a criança vai intensificando seu estado de presença. Um dia, talvez seja ela que alerte o pai e a mãe de que eles se deixaram dominar pelo corpo de dor.

A INFELICIDADE

Nem toda infelicidade se deve ao corpo de dor. Parte dela é infelicidade nova, criada toda vez que não estamos alinhados com o momento presente, quando negamos o Agora de uma maneira ou de outra. Se reconhecemos que o momento presente é sempre o que importa e, portanto, é inevitável, podemos lhe dizer um "sim" interior descomprometido. Com isso, não só deixaremos de criar mais infelicidade como, graças ao desaparecimento da resistência interior, seremos fortalecidos pela própria Vida.

A infelicidade do corpo de dor sempre assume uma proporção desmedida em relação à sua causa aparente. Em outras palavras, é uma reação exagerada. É assim que ela é reconhecida, embora não normalmente pela vítima, a pessoa possuída. Alguém com um corpo de dor pesado tem grande facilidade em encontrar motivos para ficar aborrecido, irado, magoado, triste ou temeroso. Coisas quase insignificantes que outra pessoa teria deixado de lado com um sorriso ou que talvez nem chegasse a notar tornam-se a razão aparente de uma intensa infelicidade. Elas não são, é claro, a verdadeira causa dessa tristeza, apenas agem como um estímulo, pois trazem de volta à vida emoções antigas acumuladas. Depois, essas emoções vão para a cabeça, aumentando e energizando as estruturas mentais egoicas.

O corpo de dor e o ego são parentes próximos. Eles precisam um do outro. O fato ou a circunstância que desencadeia a infelicidade são interpretados e suscitam uma reação que passa pelo filtro de um ego fortemente emocional. Isso significa que sua importância é distorcida ao extremo. A pessoa observa o presente através dos olhos do passado emocional que existe dentro dela. Em outras palavras, o que ela vê e sente não está no acontecimento nem na situação, e sim no que existe em seu próprio interior. Em alguns casos, até pode estar no acontecimento ou na situação, porém ela o exacerba por meio da sua reação. E essa atitude reativa, essa amplificação, é o que o corpo de dor quer, é disso que ele se alimenta.

Para alguém possuído por um corpo de dor pesado, é sempre impossível afastar-se da sua interpretação distorcida, da "história" emocional. Quanto mais emoções negativas estiverem envolvidas nela, mais pesada e impenetrável ela será. E, assim, não é reconhecida como uma fantasia, mas vista como a realidade. Quando uma pessoa se encontra completamente dominada pela agitação dos pensamentos e pelas emoções que os acompanham, distanciar-se disso é algo improvável porque ela nem sequer sabe que existe uma saída. E, dessa maneira, continua cativa dentro do seu próprio filme ou sonho, prisioneira do seu próprio inferno. Para ela, a realidade é isso, não existe outra possível. E, no seu modo de ver, sua reação também é a única possível.

ROMPENDO A IDENTIFICAÇÃO COM O CORPO DE DOR

Quem possui um corpo de dor forte e ativo emana uma energia específica que as outras pessoas sentem como algo extremamente desagradável. Quando elas encontram alguém que tem um corpo de dor desse tipo, sua reação imediata é se afastar ou reduzir o contato com ele ao mínimo. Elas se sentem repelidas por esse campo energético. Outras são tomadas por um impulso agressivo e se tornam rudes ou atacam esse indivíduo com palavras e, em alguns casos, até mesmo fisicamente. Isso significa que existe algo dentro delas que está em consonância com o corpo de dor. O que as leva a reagir de modo tão intenso também se encontra em seu interior. É seu próprio corpo de dor.

Não surpreende que as pessoas com um corpo de dor pesado e frequentemente ativo costumem se ver em situações de conflito. Às vezes, é claro, elas próprias as causam. Mas outras vezes de fato não fazem nada. O negativismo que transmitem é suficiente para atrair hostilidade e gerar confrontos. Somente um alto grau de presença nos impede de reagir quando somos provocados por alguém com um corpo de dor tão ativo assim. Quando conseguimos permanecer presentes, algumas vezes esse estado de consciência permite que a outra pessoa deixe de se identificar com seu próprio corpo de dor e, dessa forma, sinta o milagre de um repentino despertar. Embora o despertar possa ter curta duração, o processo terá se iniciado.

Um dos primeiros casos desse tipo de despertar que testemunhei aconteceu muitos anos atrás. A campainha da minha porta tocou perto das 11 horas da noite. Pelo interfone ouvi uma voz carregada de ansiedade. Era minha vizinha Ethel.

– Preciso conversar com você. É muito importante. Por favor, deixe-me entrar.

Ethel era uma mulher de meia-idade, inteligente e com instrução de nível superior. Ela também possuía um ego bastante forte e um corpo de dor pesado. Conseguira escapar da Alemanha nazista quando era adolescente, porém muitos de seus parentes foram mortos em campos de concentração.

Ela se sentou no meu sofá, agitada, as mãos trêmulas. Em seguida, tirou cartas e documentos da pasta que trazia consigo e espalhou tudo pelo sofá e pelo chão. Na mesma hora, tive uma estranha sensação: foi como se um *dimmer* tivesse levado a parte interna do meu corpo à potência máxima. Não havia nada a fazer, a não ser permanecer receptivo, alerta e intensamente presente. Olhei para ela sem pensar em nada e sem julgar, apenas a ouvi em silêncio, sem fazer nenhum comentário mental. Uma torrente de palavras brotou da sua boca.

– Recebi mais uma carta perturbadora hoje. Eles estão tramando uma vingança contra mim. Você precisa me ajudar. Temos que lutar contra eles juntos. Nada deterá os advogados vigaristas que eles têm. Vou perder minha casa. Estão me ameaçando com o despejo.

Ao que parecia, Ethel se recusara a pagar a taxa de condomínio porque os administradores do imóvel em que ela morava não haviam feito alguns consertos necessários. Eles, por sua vez, ameaçavam processá-la.

Ethel falou por uns 10 minutos. Permaneci ali sentado, olhando e escutando. De repente, ela se calou e olhou para a papelada ao seu redor como se tivesse acabado de acordar de um sonho.

Ficou calma e suave. Todo o seu campo energético havia mudado. Então olhou para mim e disse:
– Isso não tem importância nenhuma, não é mesmo?
– Não, não tem – respondi.

Após uns dois minutos de silêncio, ela recolheu os papéis e saiu. Na manhã seguinte, me parou na rua e ficou me olhando com um jeito desconfiado. "O que você fez comigo? Ontem eu tive minha primeira boa noite de sono em anos. Na verdade, dormi como um bebê."

Ela acreditava que eu havia "feito alguma coisa", mas eu não tinha feito nada. Talvez Ethel devesse ter perguntado o que eu não havia feito. Não esbocei nenhuma reação, não confirmei a realidade da sua história nem alimentei sua mente com mais pensamentos nem seu corpo de dor com mais emoções. Deixei-a livre para vivenciar seus sentimentos naquele momento, e a força de permitir está em não interferir, em não fazer nada. Estarmos presentes é sempre infinitamente mais importante do que tudo o que possamos dizer ou fazer, embora às vezes o estado de presença suscite palavras ou ações.

O que aconteceu com ela não chegou a ser uma mudança permanente, e sim um vislumbre do que é possível, de algo que já estava no seu interior. No zen, esse lampejo é chamado de *satori*. O *satori* é um momento de presença, um breve afastamento da voz na nossa cabeça, dos processos do pensamento e do seu reflexo sobre o corpo como emoção. É o despertar da dimensão interior onde antes estavam o emaranhado de pensamentos e o turbilhão das emoções.

A mente abarrotada de pensamentos não é capaz de compreender a presença e, assim, costuma interpretá-la mal. Ela nos dirá que não estamos preocupados, que estamos distantes, que não temos compaixão, que não estamos nos relacionando. A verdade é que estamos interagindo, porém num nível mais profundo do que o dos pensamentos e das emoções. Na realidade, nesse nível existe um encontro genuíno, uma autêntica união que vai muito além do relacionamento. Na calma silenciosa da presença, conseguimos sentir a nossa essência sem forma e a da outra pessoa como algo único. Sabermos que nós e o outro somos um só é o verdadeiro amor, a verdadeira atenção, a verdadeira compaixão.

"ESTÍMULOS"

Alguns corpos de dor reagem a apenas um tipo de estímulo ou situação, que em geral é aquele que está em consonância com determinada espécie de dor emocional sofrida no passado. Por exemplo, se uma criança cresce com pais cuja renda familiar era a causa de brigas e conflitos frequentes, ela pode absorver o medo deles em relação ao dinheiro e desenvolver um corpo de dor que é incitado sempre que fatores financeiros estão envolvidos. Quando adulta, essa pessoa ficará aborrecida ou furiosa até mesmo em relação a quantias insignificantes. Por trás da contrariedade ou da raiva estão questões de sobrevivência e um temor intenso. Tenho visto indivíduos espiritualizados, isto é, relativamente conscientes, que começam a gritar, culpar e fazer acusações no instante em que pegam o telefone para falar com seu corretor de ações ou seu contador. Assim como existem advertências em relação à saúde nas embalagens de cigarro, talvez devesse haver avisos semelhantes em cada cédula de dinheiro e folha de cheque: "O dinheiro pode acionar o corpo de dor e causar a inconsciência total."

Alguém que na infância tenha sido negligenciado ou abandonado por um dos pais ou por ambos desenvolverá, provavelmente, um corpo de dor que será estimulado por qualquer situação que lembre, até mesmo de forma remota, o sofrimento primordial do abandono. Tanto um amigo que se atrase cinco minutos para pegar a pessoa no aeroporto quanto um cônjuge que chega tarde em casa podem deflagrar um ataque violento do seu corpo de dor. Se seu parceiro ou cônjuge o deixa ou morre, a dor emocional que esse indivíduo sente vai muito além da que é natural em circunstâncias como essas. Pode ser uma angústia intensa, uma depressão duradoura e incapacitante ou uma raiva obsessiva.

Uma mulher que tenha sido violentada pelo próprio pai na infância talvez perceba que seu corpo de dor se torna facilmente ativo em qualquer relacionamento íntimo com um homem. Por outro lado, a emoção que constitui seu corpo de dor talvez a faça se sentir atraída por um indivíduo cujo corpo de dor seja semelhante ao do seu pai. O corpo de dor dessa mulher pode ter uma atração magnética por alguém que ele sinta que lhe dará mais do mesmo sofrimento. E, algumas vezes, ela pode confundir essa dor com a sensação de estar apaixonada.

Um homem que foi uma criança indesejada e não recebeu amor nem o mínimo de cuidado e de atenção da mãe desenvolve um corpo de dor marcado por uma profunda ambivalência – por um lado, apresenta um intenso e insatisfeito desejo pelo amor e pela atenção da mãe e, por outro, um forte rancor em relação a ela por ter lhe negado aquilo de que ele precisava desesperadamente. No caso desse adulto, quase todas as mulheres despertam a carência do seu corpo de dor – uma forma de sofrimento emocional. Ele a manifesta por meio de uma compulsão a "conquistar e seduzir" quase toda mulher que vem a conhecer e, dessa maneira, pretende obter o amor feminino pelo qual seu corpo de dor anseia. Esse homem se transforma quase num especialista em sedução. No entanto, assim que um relacionamento se torna íntimo ou seus avanços são rejeitados, a raiva do seu corpo de dor em relação à mãe vem à tona e sabota a relação.

Quando reconhecemos nosso próprio corpo de dor no momento em que ele surge, também passamos a detectar com rapidez os estímulos mais comuns que o colocam em ação, sejam situações, sejam determinadas coisas que as pessoas fazem ou dizem. No instante em que esses estímulos aparecem, nós os vemos de imediato pelo que eles são e entramos num intenso estado de alerta. Em questão de segundos, percebemos também a reação emocional, que é o surgimento do corpo de dor. Porém, nesse estado de presença, não nos identificamos com ele, o que significa que o corpo de dor não consegue assumir o controle sobre nós e se tornar a voz na nossa cabeça. Se estamos com nosso parceiro ou nossa parceira nesse momento, podemos lhe dizer: "O que você acabou de dizer (ou fazer) despertou meu corpo de dor." Portanto, estabeleça um acordo com seu companheiro ou companheira: sempre que disserem ou fizerem algo que desperte o corpo de dor do outro, mencionem isso na hora. Dessa maneira, o corpo de dor não poderá mais se renovar por intermédio do desentendimento entre vocês e, em vez de levá-los à inconsciência, os ajudará a ficar inteiramente presentes.

Toda vez que estamos presentes quando o corpo de dor se manifesta, uma parte da energia emocional negativa que o constitui se queima, por assim dizer, e é transmutada em presença. O que resta dele se retira rapidamente e espera por uma oportunidade melhor para aparecer, isto é, quando estivermos menos conscientes. Isso pode acontecer sempre que saímos do estado de presença, talvez depois de tomarmos alguns drinques ou enquanto assistimos a um filme violento. A mais leve emoção negativa, como uma sensação de irritação ou ansiedade, também pode servir como uma passagem pela qual o corpo de dor consegue retornar. Ele precisa da nossa inconsciência, pois não é capaz de tolerar a luz da presença.

O CORPO DE DOR COMO UM DESPERTADOR

À primeira vista, pode parecer que o corpo de dor é o maior obstáculo para o surgimento de uma nova consciência na humanidade. Ele ocupa nossa mente, controla e distorce nosso pensamento, perturba nossos relacionamentos e se parece com uma nuvem carregada que toma todo o nosso campo energético. Tende a nos deixar inconscientes, espiritualmente falando, isto é, num estado de total identificação com a mente e a emoção. Ele nos faz reagir a tudo, nos leva a dizer e fazer coisas que são criadas para intensificar a infelicidade que existe em nós e no mundo.

No entanto, à medida que a infelicidade aumenta, ela provoca uma perturbação crescente na nossa vida. Talvez o corpo não suporte mais o estresse e desenvolva uma doença ou um distúrbio. Pode ser que nos vejamos envolvidos num acidente, numa situação dramática ou num enorme conflito que tenham sido desencadeados pelo desejo do corpo de dor de que algo de mal acontecesse. Além disso, podemos acabar praticando uma violência física. Ou, quem sabe, tudo isso assuma uma proporção tão grande que não sejamos mais capazes de viver com nosso eu infeliz. O corpo de dor, é claro, faz parte desse falso eu.

Sempre que somos arrebatados pelo corpo de dor, toda vez que não o reconhecemos, ele se torna parte do nosso ego. Qualquer elemento com o qual nos identificamos se transforma no ego. O corpo de dor é uma das coisas mais poderosas com que o ego pode se identificar, assim como o ego é fundamental para o corpo de dor, que precisa dele para se renovar. Essa aliança perversa, contudo, costuma desmoronar nos casos em que o corpo de dor é tão pesado que as estruturas da mente egoica, em vez de serem fortalecidas por ele, são desintegradas pelo ataque ininterrupto de sua carga energética, da mesma maneira que um aparelho eletrônico pode ser posto em funcionamento por uma corrente elétrica, mas também destruído por ela se a voltagem for muito elevada.

Quem tem um corpo de dor muito forte costuma chegar a um ponto em que sente que sua vida está se tornando insuportável, em que não consegue mais tolerar a dor nem situações difíceis.

Já houve quem expressasse isso dizendo com toda a franqueza e simplicidade que estava "cheio de ser infeliz". Algumas pessoas podem sentir, como foi meu caso, que não são mais capazes de viver consigo mesmas. A paz interior torna-se então sua principal prioridade. Sua aguda dor emocional as força a romper a identificação com o conteúdo da mente e com as estruturas mentais emocionais que dão origem a seu eu infeliz e o perpetuam. Assim, elas ficam sabendo que nem sua triste história nem a emoção que sentem são elas próprias. Compreendem que elas são o conhecer, e não o que é conhecido. Em vez de levá-las à inconsciência, o corpo de dor transforma-se no seu despertador, o fator decisivo que as faz alcançar o estado de presença.

No entanto, como estamos testemunhando uma afluência sem precedentes de consciência sobre o planeta neste momento, muitas pessoas não precisam mais chegar às profundezas do mais agudo sofrimento para conseguir romper a identificação com o corpo de dor. Sempre que elas percebem que voltaram a cair no terreno do distúrbio, são capazes de *escolher* abandonar a identificação com o pensamento e com a emoção e voltar para o estado de presença. Elas abrem mão da resistência, tornam-se calmas e atentas, alcançam a unificação com o que existe, dentro e fora de si mesmas.

O próximo passo na evolução humana não é inevitável, mas, pela primeira vez na história do planeta, pode ser uma escolha consciente. Quem está fazendo essa escolha? Você está. E quem é você? A consciência que se tornou consciente de si mesma.

A LIBERTAÇÃO DO CORPO DE DOR

Uma pergunta que as pessoas costumam fazer é: "De quanto tempo precisamos para nos libertar do corpo de dor?" Evidentemente, isso depende tanto da densidade do corpo de dor quanto do grau ou da intensidade da presença manifestada de cada um de nós. No entanto, não é o corpo de dor, e sim a identificação com ele que causa o sofrimento que infligimos a nós mesmos e aos outros. É essa identificação que nos leva a reviver o passado vezes sem conta e nos mantém no estado de inconsciência. Assim, uma pergunta mais importante a fazer seria esta: "De quanto tempo necessitamos para nos libertar da identificação com o corpo de dor?"

A resposta a essa pergunta é: não demora tempo nenhum. Sempre que o corpo de dor estiver em atividade, temos que estar cientes de que o que estamos sentindo é o corpo de dor em nós. Esse conhecimento é tudo de que precisamos para interromper a identificação com ele. E, quando essa identificação cessa, a transmutação tem início. O conhecimento impede que as emoções antigas surjam na nossa cabeça e controlem não só o diálogo interior como também nossas ações e interações com as pessoas. Assim, o corpo de dor não conseguirá mais nos usar e se renovar por nosso intermédio. As antigas emoções podem ainda viver em nós por algum tempo e aparecer de vez em quando. Talvez também nos enganem ocasionalmente, fazendo com que nos identifiquemos com elas de novo e, desse modo, obscureçam o conhecimento, porém não por muito tempo. Não projetarmos as antigas emoções nas situações significa que devemos encará-las diretamente dentro de nós. Pode não ser agradável, mas isso não chega a nos matar. Nossa presença é mais do que capaz de contê-las. As emoções não são quem nós somos.

Portanto, quando sentir o corpo de dor, não cometa o equívoco de pensar que existe algo errado com você. O ego adora quando você faz de si mesmo um problema. O conhecimento precisa ser seguido pela aceitação. Qualquer outra coisa irá obscurecê-lo novamente. Aceitação significa que você se permite sentir qualquer coisa naquele momento. Isso é parte da essência do Agora. Você não pode discutir com *o que é*. Bem, você pode. No entanto, se fizer isso, sofrerá. Por meio da aceitação, você se torna o que você é: vasto, pleno de espaço. Transforma-se no todo. Não é mais um fragmento, que é como o ego vê a si mesmo. Sua natureza verdadeira emerge, e ela está unificada com a natureza de Deus.

Jesus indica isso nesta passagem: "Portanto, sede *um todo*, assim como vosso Pai celeste é um *todo*."[1] No Novo Testamento temos, porém, "sede *perfeitos*", o que é um erro de tradução da palavra grega original, que significa "todo". Ou seja, não precisamos nos tornar um todo, mas *sermos* o que já somos – com ou sem o corpo de dor.

Capítulo sete

DESCOBRINDO QUEM SOMOS REALMENTE

Gnothi Seauton – "Conhece-te a ti mesmo". Essas palavras estavam inscritas acima da entrada do templo de Apolo em Delfos, lugar do Oráculo sagrado. Na Grécia antiga, as pessoas visitavam o Oráculo esperando descobrir o que o destino lhes reservava ou o que fazer em determinada situação. É provável que a maioria delas lesse essa frase sem compreender que ela indicava uma verdade mais profunda do que qualquer coisa que o Oráculo pudesse dizer. Talvez os visitantes também não compreendessem que, por mais importante que fosse a revelação ou exatas as informações que recebessem, elas acabariam por se mostrar inúteis, não os salvariam de infelicidades futuras nem de sofrimentos criados por eles mesmos, caso deixassem de encontrar a verdade contida na exortação "Conhece-te a ti mesmo". O significado implícito dessas palavras é: antes de qualquer indagação, faça a pergunta fundamental da sua vida: quem sou eu?

As pessoas inconscientes – e muitas permanecem nesse estado, presas ao ego ao longo de toda a sua existência – rapidamente nos dirão quem elas são: seu nome, sua ocupação, sua história pessoal, a forma ou a condição do seu corpo e qualquer outra coisa com a qual se identifiquem. Outras podem parecer mais evoluídas porque se consideram almas imortais ou espíritos divinos. Mas será que elas conhecem de fato a si mesmas ou será que apenas acrescentaram alguns conceitos espiritualistas ao conteúdo da sua mente? Conhecer a si mesmo é algo muito mais profundo do que a adoção de um conjunto de ideias ou crenças. As ideias e crenças espirituais podem, no máximo, ser indicadores úteis, no entanto poucas vezes têm o poder de desalojar os conceitos centrais mais firmemente estabelecidos de quem pensamos que somos, os quais fazem parte do condicionamento da mente humana. O profundo autoconhecimento não tem nada a ver com nenhuma ideia que esteja flutuando em torno da nossa mente. Conhecer a nós mesmos é estarmos enraizados no Ser em vez de estarmos perdidos na nossa mente.

QUEM PENSAMOS QUE SOMOS

Nosso sentido de quem somos determina o que percebemos como nossas necessidades e o que importa na nossa vida — e o que nos interessa tem o poder de nos irritar e perturbar. Podemos usar isso como um critério para descobrir até que ponto nos conhecemos. O que nos interessa não é o que dizemos nem aquilo em que acreditamos, mas o que nossas ações e reações revelam como importante e sério. Portanto, talvez queiramos nos fazer a seguinte pergunta: o que me irrita e perturba? Se coisas pequenas têm a capacidade de nos atormentar, então quem pensamos que somos é exatamente isto: pequeno. Essa é nossa crença inconsciente. Quais são as coisas pequenas? No fim das contas, todas as coisas são pequenas porque todas elas são efêmeras.

Podemos até dizer: "Sei que sou um espírito imortal" ou "Estou cansado deste mundo louco. Tudo o que quero é paz" — até o telefone tocar. Más notícias: o mercado de ações caiu, o acordo pode não dar certo, o carro foi roubado, nossa sogra chegou, cancelaram a viagem, o contrato foi rompido, nosso parceiro ou parceira foi embora, alguém exige mais dinheiro, somos responsabilizados por algo. De repente ocorre um ímpeto de raiva, de ansiedade. Uma aspereza brota na nossa voz: "Não aguento mais isto." Acusamos e criticamos, atacamos, defendemos ou nos justificamos, e tudo acontece no piloto automático. Alguma coisa obviamente é muito mais importante agora do que a paz interior que um momento atrás dissemos que era tudo o que desejávamos. E já não somos mais um espírito imortal. O acordo, o dinheiro, o contrato, a perda ou a possibilidade da perda são mais relevantes. Para quem? Para o espírito imortal que dissemos ser? Não, para nosso pequeno eu que busca segurança ou satisfação em coisas que são transitórias e fica ansioso ou irado porque não consegue o que deseja. Bem, pelo menos agora sabemos quem de fato pensamos que somos.

Se a paz é de fato aquilo que desejamos, então devemos escolhê-la. Se ela fosse mais importante para nós do que qualquer outra coisa e se nós nos reconhecêssemos de verdade como um espírito em vez de um pequeno eu, permaneceríamos sem reagir e num absoluto estado de alerta quando confrontados com pessoas ou circunstâncias desafiadoras. Aceitaríamos de imediato a situação e, assim, nos tornaríamos um com ela em vez de nos separarmos dela. Depois, da nossa atenção consciente surgiria uma reação. Quem nós somos (consciência) – e não quem pensamos que somos (um pequeno eu) – estaria reagindo. Isso seria algo poderoso e eficaz e não faria de ninguém nem de uma situação um inimigo.

O mundo sempre se assegura de impedir que nos enganemos por muito tempo sobre quem de fato pensamos que somos nos mostrando o que realmente é importante para nós. A maneira como reagimos a pessoas e situações, sobretudo quando surge um desafio, é o melhor indício de até que ponto nos conhecemos a fundo.

Quanto mais limitada, quanto mais estreitamente egoica é a visão que temos de nós mesmos, mais nos concentramos nas limitações egoicas – na inconsciência – dos outros e reagimos a elas. Os "erros" das pessoas ou o que percebemos como suas falhas se tornam para nós a identidade delas. Isso significa que vemos apenas o ego nos outros e, assim, fortalecemos o ego em nós. Em vez de olharmos "através" do ego deles, olhamos "para" o ego. E quem está fazendo isso? O ego em nós.

As pessoas muito inconscientes sentem o próprio ego por meio do seu reflexo nos outros. Quando compreendemos que aquilo a que reagimos nos outros também está em nós (e algumas vezes apenas em nós), começamos a nos tornar conscientes do nosso próprio ego. Nesse estágio, podemos também compreender que estamos fazendo às pessoas o que pensávamos que elas estavam fazendo a nós. Paramos de nos ver como uma vítima.

Nós não somos o ego. Portanto, quando nos tornamos conscientes do ego em nós, isso não significa que sabemos quem somos – isso quer dizer que sabemos quem *não somos*. Mas é por meio do conhecimento de quem não somos que o maior obstáculo ao verdadeiro conhecimento de nós mesmos é removido.

Ninguém pode nos dizer quem somos. Seria apenas outro conceito, portanto não nos faria mudar. *Quem nós somos* não requer crença. Na verdade, toda crença é um obstáculo. Isso não exige nem mesmo nossa compreensão, uma vez que já somos quem somos. No entanto, sem a compreensão, quem nós somos não brilha neste mundo. Permanece na dimensão não manifestada que, é claro, é seu verdadeiro lar. Nós somos então como uma pessoa aparentemente pobre que não sabe que tem uma conta de 100 milhões de reais no banco. Com isso, nossa riqueza permanece um potencial oculto.

A ABUNDÂNCIA

Quem nós pensamos que somos está intimamente ligado a como nos consideramos tratados pelos outros. Muitas pessoas se queixam de que não recebem um tratamento bom o bastante. "Não me tratam com respeito, atenção, reconhecimento, consideração.

Tratam-me como se eu não tivesse valor", elas dizem. Quando o tratamento é bondoso, elas suspeitam de motivos ocultos. "Os outros querem me manipular, levar vantagem sobre mim. Ninguém me ama."

Quem elas pensam que são é isto: "Sou um 'pequeno eu' carente cujas necessidades não estão sendo satisfeitas." Esse erro básico de percepção de quem elas são cria um distúrbio em todos os seus relacionamentos. Esses indivíduos acreditam que não têm nada a dar e que o mundo ou os outros estão ocultando delas aquilo de que precisam. Toda a sua realidade se baseia num sentido ilusório de quem elas são. Isso sabota situações, prejudica todos os relacionamentos. Se o pensamento de falta – seja de dinheiro, reconhecimento ou amor – se tornou parte de quem pensamos que somos, sempre experimentaremos a falta. Em vez de reconhecermos o que já há de bom na nossa vida, tudo o que vemos é carência. Detectarmos o que existe de positivo na nossa vida é a base de toda a abundância. O fato é o seguinte: seja o que for que nós pensemos que o mundo está nos tirando é isso que estamos tirando do mundo. Agimos assim porque no fundo acreditamos que somos pequenos e que não temos nada a dar.

Se esse for o seu caso, experimente fazer o seguinte por duas semanas e veja como sua realidade mudará: dê às pessoas qualquer coisa que você pense que elas estão lhe negando – elogios, apreço, ajuda, atenção, etc. Você não tem isso? Aja exatamente como se tivesse e tudo isso surgirá. Logo depois que você começar a dar, passará a receber. Ninguém pode ganhar o que não dá. O fluxo de entrada determina o fluxo de saída. Seja o que for que você acredite que o mundo não está lhe concedendo você já possui. Contudo, a menos que permita que isso flua para fora de você, nem mesmo saberá que tem. Isso inclui a abundância. A lei segundo a qual o fluxo de saída determina o fluxo de entrada é expressa por Jesus nesta imagem marcante: "Dai, e dar-se-vos-á.

Colocar-vos-ão no regaço medida boa, cheia, recalcada, sacudida e transbordante, porque, com a mesma medida com que medirdes, sereis medidos vós também."[1]

A fonte de toda a abundância não está fora de você. Ela é parte de quem você é. Entretanto, comece por admitir e reconhecê-la exteriormente. Veja a plenitude da vida ao seu redor. O calor do sol sobre sua pele, a exibição de flores magníficas num quiosque de plantas, o sabor de uma fruta suculenta, a sensação no corpo de toda a força da chuva que cai do céu. A plenitude da vida está presente a cada passo. Seu reconhecimento desperta a abundância interior adormecida. Então permita que ela flua para fora. Só fato de você sorrir para um estranho já promove uma mínima saída de energia. Você se torna um doador. Pergunte-se com frequência: "O que posso dar neste caso? Como posso prestar um serviço a esta pessoa nesta situação?" Você não precisa ser dono de nada para perceber que tem abundância. Porém, se sentir com frequência que a possui, é quase certo que as coisas comecem a acontecer na sua vida. Ela só chega para aqueles que já a têm. Parece um tanto injusto, mas é claro que não é. É uma lei universal. Tanto a fartura quanto a escassez são estados interiores que se manifestam como nossa realidade. Jesus fala sobre isso da seguinte maneira: "Pois, ao que tem, se lhe dará; e ao que não tem, se lhe tirará até o que não tem."[2]

CONHECENDO A NÓS MESMOS E *SOBRE* NÓS MESMOS

Talvez não queiramos nos conhecer porque sentimos medo do que podemos descobrir. Muitos indivíduos têm um temor secreto de que sejam maus. Mas nada que uma pessoa possa vir a saber a seu respeito é ela. Nada que venha a conhecer *sobre* si mesma é ela.

Embora alguns indivíduos não queiram saber quem são por causa do temor, outros têm uma curiosidade insaciável a seu próprio respeito e desejam descobrir cada vez mais. Há quem seja tão fascinado por si mesmo que passe anos fazendo psicanálise, mergulhando em todos os aspectos da sua infância, descobrindo medos e desejos secretos e encontrando camadas e mais camadas de complexidade na constituição da sua personalidade e do seu caráter. Depois de 10 anos, o terapeuta pode ficar cansado desse cliente e da sua história e lhe dizer que a análise acabou. Talvez ele o mande embora com um dossiê de 5 mil páginas e lhe diga: "Tudo isso é sobre você. Isso é o que você é." Quando a pessoa carrega a pesada pasta para casa, sua satisfação inicial de, finalmente, conhecer a si mesma é logo substituída por um sentimento de insatisfação e por uma suspeita insidiosa de que deve haver mais coisas sobre quem ela é do que aquilo. E, na verdade, existe mais – talvez não em termos quantitativos, de mais fatos, e sim na dimensão qualitativa da profundidade.

Não há nada de errado com a psicanálise nem com o fato de alguém descobrir mais a respeito do seu passado, desde que não confunda conhecer *sobre* si mesmo com conhecer a si mesmo. O dossiê de 5 mil páginas é *sobre* a pessoa: o conteúdo da sua mente que é condicionado pelo passado. Seja o que for que ela venha a aprender pela psicanálise ou pela observação de si mesma será *sobre* ela. Não é ela. É conteúdo, e não essência. Ir além do ego é sair do conteúdo. Conhecer a nós mesmos é ser nós mesmos. E ser nós mesmos é pararmos de nos identificar com o conteúdo.

As pessoas, em sua maioria, definem-se pelo conteúdo de suas vidas. Qualquer coisa que alguém perceba, experimente, faça, pense ou sinta é conteúdo. O conteúdo é o que absorve inteiramente a atenção da maior parte dos indivíduos e é aquilo com o que eles se identificam. Quando pensamos ou dizemos "minha vida", não estamos nos referindo à vida que nós *somos*, e sim à vida que *temos* ou parecemos ter. Estamos fazendo menção ao conteúdo, a elementos como idade, saúde, relacionamentos, finanças e trabalho, assim como a nosso estado "mental-emocional". As circunstâncias interiores e exteriores da nossa vida, bem como nosso passado e nosso futuro, pertencem ao âmbito do conteúdo – da mesma forma que os eventos, isto é, tudo o que acontece.

O que existe além do conteúdo? Aquilo que permite que ele exista – o espaço interior da consciência.

O CAOS E O PROPÓSITO SUPERIOR

Quando nos conhecemos apenas por meio do conteúdo, também pensamos que sabemos o que é bom ou ruim para nós mesmos. Discriminamos os acontecimentos entre os que são "bons para nós" e aqueles que são "maus". Essa é uma percepção fragmentada da unicidade da vida na qual tudo está interligado, em que cada acontecimento tem seu lugar e sua função dentro da totalidade. Contudo, a totalidade é mais do que a aparência superficial das coisas, mais do que a soma total das suas partes, mais do que qualquer coisa que nossa vida e o mundo contêm.

Por trás da sucessão de acontecimentos algumas vezes aparentemente aleatórios ou até mesmo caóticos da nossa vida, assim como do mundo, acontece de maneira oculta o desenrolar de uma ordem e de um propósito superiores. Há um ditado zen que expressa isso de forma maravilhosa: "A neve cai, cada floco no lugar adequado." Nunca seremos capazes de compreender essa ordem superior pensando nela porque tudo o que pensamos é conteúdo. No entanto, ela emana da dimensão sem forma da consciência, da inteligência universal. Ainda assim, podemos vislumbrá-la. Mais do que isso, somos capazes de ficar alinhados com ela, ou seja, de atuarmos como participantes conscientes do desenvolvimento desse propósito superior.

Quando vamos a uma floresta que não sofreu interferência do homem, nossa mente pensante vê apenas desordem e caos ao nosso redor. Ela não é capaz nem mesmo de diferenciar o que é vida (bom) do que é morte (mau), uma vez que, por toda parte, a nova vida cresce a partir da matéria putrefata e em decomposição. Apenas se nos mantivermos silenciosos o bastante internamente e o ruído do pensamento ceder, é que poderemos tomar consciência de que existe uma harmonia oculta ali, uma sacralidade, uma ordem superior em que tudo tem seu lugar perfeito e não poderia ser outra coisa a não ser o que é da maneira como é.

A mente sente-se mais à vontade num parque paisagístico porque foi planejada pelo pensamento, ela não cresceu organicamente. Nesse parque existe uma ordem que a mente é capaz de entender. Na floresta, há uma ordem incompreensível que, para ela, se parece com o caos. Está além das categorias mentais de bom e mau. Não conseguimos apreendê-la por meio do pensamento. No entanto, podemos senti-la quando o deixamos de lado, ficamos silenciosos e atentos e não tentamos entender nem explicar. Só então estamos aptos a tomar consciência da sacralidade da floresta. Tão logo sentimos essa harmonia oculta, constatamos que não estamos separados dela e, nesse momento, nos tornamos um participante consciente dessa sacralidade. Dessa maneira, a natureza pode nos ajudar a retomar o alinhamento com a unicidade da vida.

O QUE HÁ DE BOM E O QUE HÁ DE MAU

A certa altura da vida, a maioria das pessoas se torna consciente de que não existem apenas nascimento, crescimento, sucesso, boa saúde, prazer e vitórias, mas também perda, fracasso, doença, envelhecimento, decadência, dor e morte. Convencionalmente, esses aspectos são rotulados de "bons" e "maus", ordem e desordem. O "significado" da nossa vida costuma estar associado ao que consideramos "bom", porém tudo o que se enquadra nessa categoria está sob a ameaça constante do colapso, do esgotamento, da desorganização, da falta de significado e do "mau" – que é quando as explicações falham e a vida deixa de fazer sentido. Mais cedo ou mais tarde, a desordem irrompe na vida de todo mundo, não importa quantas apólices de seguro a pessoa tenha. Isso pode acontecer na forma de perda ou acidente, doença, incapacidade, envelhecimento, morte. Contudo, o surgimento dessa desestabilização e o resultante colapso de um sentido definido mentalmente podem se tornar a abertura para uma ordem superior.

"Porque a sabedoria deste mundo é loucura diante de Deus", diz a Bíblia.[3] O que é a sabedoria deste mundo? A agitação do pensamento e o sentido que é definido exclusivamente pelo pensamento.

O pensamento isola situações ou acontecimentos e os chama de bons ou maus, como se eles tivessem uma existência separada. Por meio da dependência excessiva do pensamento, a realidade se torna fragmentada. Esse fracionamento é uma ilusão, contudo parece muito real enquanto permanecemos presos a ela. O universo, porém, é um todo indivisível onde todas as coisas estão interconectadas, onde nada existe de modo independente.

A profunda interligação de todos os eventos e de todas as coisas deixa implícito que os rótulos mentais de "bom" e "mau" são, em última análise, ilusórios. Eles sempre pressupõem uma perspectiva limitada e, assim, são verdadeiros apenas temporariamente e de modo relativo. Isso é ilustrado pela história de um homem sensato que ganha um automóvel caro num sorteio. Sua família e seus amigos ficam muito felizes por ele e chegam para comemorar.

– Não é ótimo? – diz um deles. – Você tem tanta sorte.

O homem sorri e responde:

– Pode ser.

Durante algumas semanas ele se diverte dirigindo o carro. Até que um dia um motorista bêbado provoca uma batida num

cruzamento e o homem vai parar no hospital, com vários ferimentos. Ao visitá-lo, a família e os amigos comentam:
– Isso foi realmente uma infelicidade.
De novo o homem sorri e diz:
– Pode ser.
Enquanto ele ainda está no hospital, certa noite ocorre um deslizamento de terra e sua casa é tragada pelo mar. Mais uma vez, os amigos aparecem no dia seguinte e observam:
– Não foi mesmo uma sorte você ter ficado aqui no hospital?
Novamente ele responde:
– Pode ser.

O "pode ser" desse personagem sábio significa uma recusa em julgar tudo o que acontece. Em vez de avaliar os eventos, ele os aceita e, dessa maneira, entra em alinhamento consciente com a ordem superior. Esse homem sabe que quase sempre é impossível para a mente entender que lugar ou propósito um acontecimento que parece aleatório ocupa no trançado da totalidade. No entanto, não há eventos casuais, assim como nem as coisas nem os fatos existem por e para si mesmos de modo isolado. Os átomos que constituem nosso corpo foram forjados nas estrelas, enquanto as causas do menor dos eventos são virtualmente infinitas e ligadas ao todo de maneiras incompreensíveis. Se quiséssemos encontrar o motivo de um acontecimento, teríamos que percorrer o caminho de volta até o começo da criação. O cosmo não é caótico. A própria palavra "cosmo" significa ordem. Mas essa não é uma ordem que a mente humana possa chegar a entender, embora consiga ter um vislumbre dela.

SEM NOS IMPORTARMOS COM O QUE ACONTECE

J. Krishnamurti, o maior filósofo e mestre espiritual indiano, proferiu palestras e trabalhou quase continuamente por todo o mundo durante mais de 50 anos, tentando transmitir por meio das palavras – que representam o conteúdo – o que está além delas, além do conteúdo. Numa de suas apresentações, já no final da vida, ele surpreendeu o público perguntando: "Vocês querem conhecer meu segredo?"

Todos os presentes ficaram atentos. Muitas pessoas na plateia vinham acompanhando suas palestras ao longo de 20 ou 30 anos e ainda não haviam conseguido captar a essência do seu ensinamento. Por fim, depois de todos aqueles anos, o mestre lhes daria a chave para a compreensão: "Este é o meu segredo: eu não me importo com o que acontece", disse ele.

Como ele não explicou mais nada, desconfio de que a maior parte do seu público ficou ainda mais perplexa do que antes. As implicações dessa simples afirmação, entretanto, eram profundas.

O que está implícito quando dizemos que não nos importamos com o que acontece? Simplesmente que, no nosso interior, estamos alinhados com o que acontece. "O que acontece" refere-se, é claro, à especificidade do momento, que sempre é como é. Trata-se de uma menção ao conteúdo, à forma que esse momento assume. Estarmos alinhados com *o que é* significa estarmos numa relação de não resistência interna com os acontecimentos. Isso corresponde a não rotular essa realidade mentalmente como boa nem má, e sim deixá-la ser o que é. Isso quer dizer que não podemos mais agir para provocar mudanças na nossa vida? Ao contrário. Quando a base para nossas ações é o alinhamento interior com o momento presente, elas se tornam fortalecidas pela inteligência da Vida em si.

É MESMO?

O mestre zen Hakuin morava numa cidade no interior do Japão. Altamente estimado e respeitado, era procurado por muitas pessoas que buscavam orientação espiritual. Então aconteceu que a filha adolescente do seu vizinho apareceu grávida. Quando os pais da moça, tomados de ira e revolta, a interrogaram sobre a identidade do pai da criança, ela acabou dizendo que era Hakuin. Transtornados de raiva, eles foram correndo até o mestre zen e, entre gritos e acusações, contaram-lhe que a filha havia confessado que ele a engravidara. Tudo o que ele disse foi:

– É mesmo?

As notícias sobre o escândalo espalharam-se por toda a cidade e fora dela. O mestre perdeu sua reputação. Isso não o preocupou. As pessoas deixaram de procurá-lo. Ele não se importou com isso também. Quando a criança nasceu, os avós a levaram para Hakuin.

– Você é o pai, então cuide dela.

O mestre cuidou do bebê com o maior carinho. Um ano depois, a mãe, consumida pelo remorso, confessou aos pais que o verdadeiro pai da criança era o rapaz que trabalhava no açougue. Profundamente constrangidos, eles foram procurar Hakuin para se desculpar e pedir seu perdão.

– Sentimos muito. Viemos buscar o bebê. Nossa filha confessou que você não é o pai dele.

– É mesmo? – o mestre se limitou a dizer enquanto lhes entregava a criança.

Hakuin responde à falsidade e à verdade, à boa e à má notícia, exatamente da mesma maneira: "É mesmo?" Ele permite que a forma do momento, positiva ou negativa, seja como ela é e, assim, não se torna um participante do drama humano. Para Hakuin, existe apenas o momento, que sempre é como é. Os acontecimentos não são personalizados. Ele não é vítima de ninguém. Dessa maneira, alcança tal unicidade com o que acontece que os eventos deixam de ter poder sobre ele. Somente quando resistimos ao que ocorre é que ficamos à mercê dos acontecimentos e o mundo determina nossa felicidade ou infelicidade.

O bebê foi cuidado com muito carinho. O mal converteu-se no bem por meio do poder da não resistência. Sempre respondendo ao que o momento presente requer, Hakuin deixou o bebê ir quando chegou a hora de fazer isso.

Imagine rapidamente como o ego teria reagido durante os vários estágios desse acontecimento.

O EGO E O MOMENTO PRESENTE

O relacionamento primordial da nossa vida é aquele que mantemos com o Agora ou com qualquer forma que ele assuma, isto é, com aquilo que é ou que acontece. Se houver um distúrbio na relação que temos com o Agora, ele se refletirá em todos os relacionamentos e em todas as situações que encontrarmos. O ego pode ser definido simplesmente assim: um relacionamento desajustado com o momento presente. Mas podemos decidir que tipo de relação queremos estabelecer com o momento presente.

Depois que alcançamos certo grau de consciência (e, se você está lendo isto, quase certamente o atingiu), somos capazes de escolher que espécie de relacionamento desejamos travar com o momento presente. Pretendemos tê-lo como amigo ou inimigo? O momento presente é inseparável da vida, portanto, na verdade, estamos decidindo que tipo de relacionamento queremos ter com a vida. Uma vez que tenhamos optado por torná-lo nosso amigo, depende de nós dar o primeiro passo: devemos ser amistosos com ele, recebê-lo bem, não importa que disfarce apresente, e logo veremos os resultados. Com isso, a vida passa a ser mais amigável em relação a nós, as pessoas se mostram prestativas, as circunstâncias nos favorecem. Uma decisão muda toda a nossa realidade. No entanto, precisamos fazer essa escolha o tempo todo, sem parar – até que viver dessa maneira seja algo natural para nós.

A decisão de converter o momento presente em nosso amigo é o fim do ego. Para o ego, é impossível estar alinhado com o momento presente, isto é, com a vida, pois sua própria natureza o impele a ignorar e desvalorizar o Agora ou resistir a ele. O ego vive do tempo e, quanto mais forte ele é, mais o tempo controla nossa vida. Assim, quase todos os nossos pensamentos expressam uma preocupação com o passado ou com o futuro, enquanto nosso sentido de eu depende do passado para nossa identidade e do futuro para preenchê-la. Medo, ansiedade, expectativa, arrependimento, culpa, raiva são as disfunções do estado de consciência atado ao tempo.

O ego trata o momento presente de três maneiras: como um meio para alcançar um fim, um obstáculo ou um inimigo. Vamos observar cada um desses padrões individualmente para que possamos reconhecer qual deles está operando em nós e... decidir mais uma vez.

Na melhor das hipóteses, para o ego, o momento presente é útil apenas como um meio para alcançar um fim. Ele nos leva a algum ponto no futuro que é considerado mais importante, embora o futuro nunca chegue, a não ser como o momento presente – portanto, ele nunca passa de um pensamento na nossa cabeça. Em outras palavras, jamais permanecemos plenamente aqui porque estamos sempre ocupados tentando chegar a algum lugar.

Quando esse padrão se torna mais pronunciado, e isso é bastante comum, o momento presente é considerado um obstáculo a ser superado e é tratado como tal. Então surgem a impaciência, a frustração e a tensão permanente. Na nossa cultura, essa é a realidade cotidiana de muitas pessoas, seu estado normal. A vida, que é agora, é vista como um "problema", e nós passamos a habitar um mundo de obstáculos que precisam ser resolvidos antes que possamos ficar felizes, satisfeitos e realmente começar a viver – ou pelo menos é nisso que acreditamos. Porém, a questão é a seguinte: para cada dificuldade que solucionamos, outra surge do nada. Uma vez que o momento presente é encarado como um problema, os transtornos podem não ter fim. "Eu serei qualquer coisa que você queira que eu seja", diz a Vida, ou o Agora. "Vou tratá-lo do modo como você me trata. Se você me vê como um estorvo, eu serei um estorvo para você. Se me trata como um empecilho, serei um empecilho."

Na pior das hipóteses, e isso também é muito comum, o momento presente é tratado como um inimigo. Se odiamos o que estamos fazendo, reclamamos do ambiente onde nos encontramos, amaldiçoamos as coisas que estão acontecendo ou aconteceram ou se nosso diálogo interior consiste no que deveria ser e no que não deveria ser, em culpar e acusar, é porque estamos discutindo com o que *é*, com o que já é como tem que ser. Estamos convertendo a Vida num inimigo, e a ela diz: "Como a guerra é o que você quer, a guerra é o que terá." A realidade exterior, que sempre reflete para nós o estado em que nos encontramos interiormente, é então sentida como hostil.

Uma pergunta essencial que devemos nos fazer com frequência é: qual é meu relacionamento com o momento presente? Depois, precisamos ficar atentos para descobrir a resposta. "Será que estou tratando o Agora como um simples meio para alcançar um fim? Será que o vejo como um obstáculo? Será que o estou transformando num inimigo?" Como o momento presente é tudo o que sempre temos, uma vez que a Vida é inseparável do Agora, o verdadeiro significado daquela pergunta é: qual é meu relacionamento com a vida? Essa indagação é uma maneira excelente de desmascararmos o ego dentro de nós e avançarmos para o estado de presença. Embora ela não incorpore a verdade absoluta (em última análise, nós e o momento presente somos uma coisa só), é um indicador útil que nos coloca na direção certa. Pergunte isso a si mesmo até que não considere mais necessário.

Sabe como você pode superar a disfunção no seu relacionamento com o momento presente? A coisa mais importante é detectá-la em si mesmo, nos seus pensamentos e nas suas ações. No instante em que vê que há um distúrbio na sua relação com o Agora, você está presente. Essa visão assinala o surgimento da presença. Nesse instante, a disfunção começa a se dissipar. Algumas pessoas riem muito quando observam isso. Com a visão surge o poder da escolha – a decisão de dizer sim ao Agora, de torná-lo seu amigo.

O PARADOXO DO TEMPO

Na superfície, o momento presente é "o que acontece". Uma vez que os eventos mudam sem parar, parece que cada dia da nossa vida é formado por milhares de momentos em que coisas diferentes ocorrem. O tempo é considerado uma sucessão interminável de momentos – alguns "bons", outros "maus". Ainda assim, se observarmos mais de perto, isto é, por meio da nossa sensação pessoal imediata, veremos que, na verdade, não há muitos momentos, mas somente *este momento*. A vida é sempre o Agora. Toda a nossa vida se desenrola nesse constante Agora. Até mesmo os momentos do passado e do futuro só existem quando nos lembramos deles ou os antecipamos. E fazemos isso pensando sobre eles no único momento que existe: este.

Então, por que parece que há muitos momentos? Porque o momento presente se confunde com o que acontece, com o conteúdo. O espaço do Agora se embaralha com o que ocorre nesse espaço. A mistura do momento presente com o conteúdo faz surgir não só a ilusão do tempo como a ilusão do ego.

Existe um paradoxo nesse caso. Por um lado, como podemos negar a realidade do tempo? Precisamos dele para ir de um lugar a outro, preparar uma refeição, comprar uma casa, ler um livro. Necessitamos dele para crescer, para aprender novas coisas. Qualquer coisa que façamos parece tomar tempo. Tudo está sujeito a ele e, no fim das contas, "esse maldito tempo tirano", como diria Shakespeare, acabará nos matando. Poderíamos compará-lo a um rio revolto que nos carrega em suas águas ou a um fogo incontrolável que a tudo consome.

Certa vez, encontrei-me com velhos amigos, uma família com a qual eu perdera o contato havia muito tempo, e fiquei chocado quando os vi. Quase perguntei: "Vocês estão doentes? O que aconteceu? Quem fez isso com vocês?" A mãe, que andava apoiada numa bengala, parecia ter encolhido, o rosto todo enrugado. A filha, que cheguei a ver cheia de energia e entusiasmo, animada pelas expectativas da juventude, agora parecia cansada, esgotada, depois de criar três filhos. Então me lembrei: quase 30 anos tinham se passado desde nosso último encontro. O tempo havia feito aquilo com eles. E tenho certeza de que meus amigos ficaram igualmente chocados quando me viram.

Tudo parece estar sujeito ao tempo, ainda assim tudo acontece no Agora. Esse é o paradoxo. Sempre vemos um grande número de evidências *circunstanciais* para a realidade do tempo, como uma maçã murcha, nosso rosto no espelho comparado à nossa aparência numa fotografia tirada 30 anos antes – porém, nunca encontramos uma evidência direta, jamais vivenciamos o tempo em si. A experiência que temos invariavelmente é a do momento presente, ou melhor, do que ocorre nele. Se nos basearmos apenas nas evidências *diretas*, então o tempo não existe, e o Agora é tudo o que existe, sempre.

ELIMINANDO O TEMPO

Não podemos transformar nossa libertação do ego numa meta futura e depois tentar alcançá-la. Tudo o que obtemos com isso é uma insatisfação maior, mais conflito interior, porque sempre vai parecer que ainda não conseguimos chegar lá, que ainda não "atingimos" esse estado. Quando estabelecemos a liberdade do ego como nosso propósito futuro, nós nos damos mais tempo, e mais tempo corresponde a mais ego. Devemos observar com cuidado para ver se nossa busca espiritual é uma forma disfarçada de ego. Até mesmo a tentativa de nos livrarmos do "eu" pode ser uma procura mascarada por mais tempo se essa libertação for transformada num objetivo futuro. Dar mais tempo a nós mesmos é exatamente isto: conceder mais tempo ao "eu". O tempo, ou seja, o passado e o futuro, é aquilo de que o falso eu fabricado pela mente, o ego, vive. E o tempo está na nossa mente. Ele não é algo que tenha uma existência objetiva "ali fora". É uma estrutura mental necessária para a percepção sensorial, indispensável pelos propósitos práticos, mas também é o maior obstáculo ao autoconhecimento. O tempo é a dimensão horizontal da vida, a camada superficial da realidade. E há ainda a dimensão vertical da profundidade, à qual só temos acesso através do portal do momento presente.

Assim, em vez de nos concedermos tempo, devemos removê-lo. Retirar o tempo da nossa consciência é eliminar o ego. É a única prática espiritual verdadeira.

Quando falo da eliminação do tempo, não estou, é claro, me referindo ao tempo do relógio, que é usado com propósitos práticos, como marcar um encontro ou planejar uma viagem. Seria quase impossível atuar neste mundo sem esse tempo convencional. O que estou propondo é a eliminação do tempo psicológico, que é a preocupação interminável da mente egoica com o passado e com o futuro e sua resistência a entrar num estado de unicidade com a vida e viver alinhada com a inevitável condição do momento presente de ser o que é.

Sempre que um não habitual à vida se transforma num sim, toda vez que permitimos que esse momento seja como ele é, dissolvemos tanto o tempo quanto o ego. Para que o ego sobreviva, ele deve tornar o tempo – o passado e o futuro – mais importante do que o momento presente. Para o ego, é impossível ser amistoso com o Agora, a não ser por um breve instante logo após obter o que deseja. Contudo, nada consegue satisfazê-lo por muito tempo. Assim que ele se converte na nossa vida, existem duas maneiras de sermos infelizes. Não alcançarmos o que desejamos é uma. Alcançarmos o que desejamos é a outra.

O Agora assume a forma de qualquer coisa ou acontecimento. Enquanto resistimos a isso internamente, a forma, isto é, o mundo, é uma barreira impenetrável que nos separa de quem somos além da forma, que nos afasta da Vida única sem forma que nós somos. Quando dizemos um sim interior para a forma que o Agora adquire, ela própria se torna uma passagem para o que não tem forma. A separação entre o mundo e Deus se dissolve.

Quando reagimos à forma que a Vida assume no momento presente, tratando o Agora como um meio, um obstáculo ou um inimigo, fortalecemos nossa própria identidade formal, o ego. Disso resulta a atitude reativa do ego. Ele se vicia em reagir. Quanto maior nossa disposição para manifestar uma reação, mais vinculados nos tornamos à forma. Quanto maior a identificação com ela, mais forte é o ego. Nosso Ser então deixa de brilhar através da forma – ou só faz isso vagamente.

Por meio da não resistência à forma, aquilo em nós que se encontra além da forma emerge como uma presença de total abrangência, um poder silencioso muito maior do que a identidade de curta duração que temos na forma – a pessoa. Ele é mais profundamente quem nós somos do que qualquer outra coisa no mundo da forma.

O SONHO E AQUELE QUE SONHA

A chave para o poder maior do universo é a não resistência. Por meio dela, a consciência (espírito) é liberada do seu aprisionamento na forma. A não resistência interior à forma – a qualquer coisa ou acontecimento – é uma negação da realidade absoluta da forma. A resistência faz com que o mundo e seus elementos pareçam mais reais, mais concretos e mais duradouros do que eles são, incluindo nossa própria identidade formal, o ego. Ela atribui ao mundo e ao ego um peso e uma importância tão grandes que isso nos faz levar tudo muito a sério, até nós mesmos. O teatro criado pela forma é então erroneamente percebido como uma luta pela sobrevivência. E, quando temos essa percepção, ela se torna nossa realidade.

As muitas coisas que acontecem, as numerosas formas que a vida assume, são de natureza efêmera. Todas elas são fugazes. Coisas, corpos e egos, acontecimentos, situações, pensamentos, emoções, desejos, ambições, medos, conflitos... eles surgem, fingem ser da maior importância, e, antes que possamos conhecê-los, já se foram, dissolvidos na imaterialidade da qual vieram. Será que chegaram a ser reais? Será que conseguiram ser mais do que um sonho, o sonho da forma?

Quando acordamos de manhã e o sonho da noite se dispersa, dizemos: "Ah, foi apenas um sonho. Não era real." Mas algo no sonho deve ter sido real, caso contrário não poderia ter acontecido. Quando a morte se aproxima, podemos olhar para trás e imaginar se nossa vida não foi simplesmente mais um sonho. Até mesmo agora podemos relembrar as férias do ano passado ou a briga da véspera e ver que são muito semelhantes ao sonho da noite anterior.

O sonho existe, assim como existe aquele que sonha. O sonho é uma encenação de curta duração das formas. É o mundo – real apenas de modo relativo, e não absoluto. E há aquele que sonha. Ele é a realidade absoluta na qual as formas vêm e vão, mas não é a pessoa. A pessoa é parte do sonho. Aquele que sonha é o substrato em que o sonho aparece, aquilo que o torna possível. É o absoluto por trás do relativo, o eterno por trás do tempo, a consciência dentro da forma e por trás dela. Aquele que sonha é a consciência em si mesma – é quem nós somos.

Acordar dentro do sonho é nosso propósito agora. Quando estamos despertos dentro do sonho, o conflito criado pelo ego neste mundo chega ao fim enquanto um sonho mais benigno e maravilhoso surge. Essa é a nova Terra.

SUPERANDO A LIMITAÇÃO

Surge um momento na vida de cada um de nós em que perseguimos o crescimento e a expansão no nível da forma. Isso acontece quando nos esforçamos para superar limitações, como fraqueza física ou carência financeira, quando adquirimos novas habilidades e ampliamos nossos conhecimentos ou quando, por meio de uma ação criativa, trazemos ao mundo algo diferente que tenha a capacidade de melhorar tanto nossa vida quanto a dos outros. Pode ser uma composição musical, uma obra de arte, um livro, um serviço que prestamos, uma função que desempenhamos e ainda uma organização que criamos ou para a qual destinamos uma contribuição essencial.

Sempre que estamos presentes, isto é, toda vez que nossa atenção está toda no Agora, essa presença flui para aquilo que fazemos e o transforma. Há qualidade e poder no que executamos. Estamos presentes quando o que realizamos não é basicamente um meio para atingir um fim (dinheiro, prestígio, vitória), mas gratificante por si mesmo; quando existe alegria e vida no que realizamos. E, é claro, não podemos estar presentes a menos que nos tornemos receptivos ao Agora. Essa é a base da ação eficaz, não contaminada pelo negativismo.

Forma significa limitação. Estamos aqui não só para vivenciar as limitações como para ampliar nossa consciência por meio da superação das coisas que nos restringem. Algumas delas podem ser ultrapassadas num nível externo. Mas talvez haja outras com as quais precisemos aprender a conviver – só conseguiremos vencê-las internamente. Mais cedo ou mais tarde, todas as pessoas as encontram. Da mesma maneira que as limitações podem nos manter presos à reação egoica, que corresponde à infelicidade intensa, nós somos capazes de sobrepujá-las no nível interno nos rendendo de modo incondicional ao que quer que elas sejam. É isso que elas nos ensinam. O estado de rendição da consciência abre a dimensão vertical na nossa vida, a dimensão da profundidade. Alguma coisa sairá dali para o mundo, algo de um valor infinito que, de outro modo, teria permanecido sem se manifestar. Algumas pessoas que se entregaram a uma limitação significativa se tornaram agentes de cura ou mestres espirituais. Outras trabalham com abnegação para minorar o sofrimento humano ou compartilhando um dom criativo.

No final da década de 1970, eu almoçava todos os dias com um ou dois amigos no restaurante do centro de graduação da Universidade de Cambridge, onde estudava. Havia um homem numa cadeira de rodas que algumas vezes se sentava próximo a nós, em geral acompanhado de três ou quatro pessoas. Um dia, quando ele estava sentado à mesa diretamente oposta à minha, não pude deixar de observá-lo com mais atenção e fiquei chocado com o que vi. Seu corpo parecia quase todo paralisado. Magro ao extremo, a cabeça pendendo para frente. Um de seus acompanhantes colocava a comida na sua boca com todo o cuidado, porém uma grande parte dela sempre caía de volta no pratinho que outra pessoa segurava embaixo do queixo dele. De vez em quando, o homem emitia sons roucos ininteligíveis. Então alguém aproximava o ouvido da sua boca e, de forma incrível, interpretava o que ele estava tentando dizer.

Mais tarde, perguntei ao meu amigo se ele sabia quem era aquele homem. "Claro que sei. É um professor de matemática.

As pessoas que o acompanham são seus alunos de graduação. Ele tem uma doença degenerativa que paralisa progressivamente todos os músculos do corpo. Viverá no máximo uns cinco anos. Essa deve ser uma das mais terríveis fatalidades que podem recair sobre um ser humano."

Poucas semanas depois, eu estava saindo do prédio enquanto ele estava entrando. No momento em que segurei a porta para que a cadeira de rodas elétrica pudesse passar, nossos olhares se cruzaram. Com surpresa, vi que os olhos dele estavam límpidos. Não mostravam nenhum sinal de infelicidade. Percebi no ato que aquele homem havia abandonado a resistência – estava vivendo no estado de rendição.

Anos depois, enquanto comprava um jornal numa banca, fiquei impressionado ao vê-lo na primeira página de uma renomada revista internacional. Ele não só continuava vivo como tinha se tornado o mais célebre físico teórico do mundo, Stephen Hawking. Havia uma bela frase no artigo que confirmava o que eu sentira quando nossos olhos se cruzaram muitos anos antes. Comentando a própria vida, ele disse (agora por meio de um sintetizador de voz): "Quem poderia querer mais?"

A ALEGRIA DO SER

A infelicidade, ou negativismo, é uma doença no nosso planeta. O que a poluição é no plano exterior o negativismo é no plano interior. Ele está em toda parte, e não apenas nos lugares onde as pessoas não possuem o bastante para viver. E até se acentua onde os indivíduos têm mais do que o suficiente. Isso é uma surpresa? Não. O mundo da riqueza está identificado com a forma de um modo muito mais profundo, está mais perdido no conteúdo, mais preso ao ego.

As pessoas acreditam que dependem dos eventos para serem

felizes, isto é, que são dependentes da forma. Não percebem que o que acontece é a coisa mais instável do universo. Isso muda constantemente. Para elas, o momento presente encontra-se prejudicado tanto por um fato que aconteceu e que não deveria ter acontecido quanto por algo que não ocorreu, mas que deveria ocorrer. E assim perdem a perfeição mais profunda que é inerente à vida em si, aquela que está sempre aqui, que existe a despeito do que está acontecendo ou não, que está além da forma. Portanto, aceitando o momento presente, descobrimos uma perfeição que é maior do que qualquer forma e intocada pelo tempo.

A alegria do Ser, que é a única felicidade verdadeira, não pode nos acontecer por meio de nenhum tipo de forma, bem material, realização, pessoa, fato, isto é, por intermédio de nada que ocorra. A alegria não *acontece* para nós – nunca. Ela emana da dimensão sem forma em nosso interior, da consciência em si, portanto é una com quem nós somos.

PERMITINDO A DIMINUIÇÃO DO EGO

O ego está sempre atento a qualquer tipo de diminuição que ele perceba. Seus mecanismos automáticos de reparo entram em ação para restaurar a forma mental relativa a "mim". Quando alguém nos culpa ou censura, ele tenta corrigir no ato essa sensação de diminuição do eu se justificando, se defendendo ou acusando. Se a outra pessoa está certa ou errada, isso é algo irrelevante para o ego, que está muito mais interessado na preservação de si mesmo do que na verdade. Até mesmo um comportamento tão corriqueiro quanto responder gritando quando outro motorista nos chama de "barbeiro" é um procedimento de reparo automático e inconsciente utilizado por ele. Outro mecanismo bastante comum é a raiva, que faz o ego inflar temporariamente, mas de forma intensa. Todos os recursos que o ego usa para executar os "consertos" fazem total sentido para ele, porém, na verdade, são disfunções. Os que representam os distúrbios mais extremos são a violência física e as ilusões na forma de fantasias grandiosas.

Uma técnica espiritual eficaz é permitir conscientemente a diminuição do ego quando ela acontecer e não tomar nenhuma iniciativa para restaurá-lo. Recomendo a você que realize um teste de vez em quando. Por exemplo, quando alguém lhe dirigir críticas, censuras ou xingamentos, em vez de revidar no ato ou se defender, não faça nada. Deixe que sua autoimagem permaneça diminuída e fique atento ao que isso desperta no seu interior. Por alguns segundos, pode parecer desagradável, como se seu corpo tivesse encolhido. Depois, talvez você experimente uma viva sensação de amplitude interior. Você não foi diminuído nem um pouco. Na verdade, se expandiu. É provável, então, que chegue a uma conclusão impressionante: quando parece que você é diminuído de alguma maneira e não adota nenhuma reação – nem externa nem interna –, compreende que nada real foi reduzido e que, tornando-se "menos", se transforma em mais. Quando deixa de se defender ou de tentar fortalecer a forma do seu eu, você se afasta da identificação com a forma, com sua autoimagem mental. Por admitir ser menos (na percepção do ego), na verdade você passa por uma expansão e cria espaço para o Ser entrar. O verdadeiro poder, aquilo que você é além da forma, pode então brilhar através da forma aparentemente enfraquecida. Esse foi o sentido das palavras de Jesus quando ele disse: "Negue a si mesmo" ou "Ofereça a outra face".

Isso não significa, é claro, que você deva suportar maus-tratos nem se converter numa vítima de pessoas inconscientes. Algumas vezes, uma situação pode exigir que você diga a alguém para "sair de perto" de modo bem claro. Sem a atitude defensiva do ego, haverá poder por trás das suas palavras e nenhuma força de reação. Se necessário, pode também dizer não a alguém com toda a firmeza e convicção, e isso será o que eu chamo de "um não de alta qualidade", que é livre de todo negativismo.

Se você está contente com o fato de não ser ninguém em particular, de não estar em evidência, se alinhará com o poder do universo. O que se parece com fraqueza para o ego é, na realidade, força verdadeira. Essa verdade espiritual é essencialmente oposta aos valores da nossa cultura contemporânea e à maneira como as pessoas são condicionadas a se comportar.

Em vez de tentar ser uma montanha, ensina o *Tao Te Ching*, "seja o vale do universo".[4] Dessa maneira, estará reintegrado à totalidade e assim "todas as coisas acontecerão a você".[5]

De modo semelhante, Jesus ensina numa das suas parábolas: "Mas, quando fores convidado, vai tomar o último lugar, para que, quando vier o que te convidou, te diga: Amigo, passa mais para cima. Então serás honrado na presença de todos os convivas. Porque todo aquele que se exaltar será humilhado, e todo aquele que se humilhar será exaltado."[6]

Outro aspecto dessa técnica é evitar as tentativas de fortalecer seu eu se exibindo, procurando aparecer, querendo ser especial, causando impressão ou exigindo atenção. De vez em quando, pode ser o caso de você se conter e não manifestar sua opinião num momento em que todos estão expressando as próprias ideias. Depois, observe como se sente a respeito.

NO UNIVERSO EXTERIOR ASSIM COMO NO UNIVERSO INTERIOR

Ao erguer os olhos para o céu claro à noite, você pode compreender com a maior facilidade uma verdade que é ao mesmo tempo simples e extraordinariamente profunda. O que é que você vê lá em cima? A Lua, os planetas, as estrelas, a faixa luminosa da Via Láctea, quem sabe um cometa ou até mesmo a vizinha Galáxia de Andrômeda a 2 milhões de anos-luz. Sim, mas, simplificando ainda mais, o que você vê? Objetos flutuando no espaço. Então, o que forma o universo? Objetos e espaço.

Se você não fica sem palavras ao voltar seus olhos para o céu numa noite clara, então não o está observando de verdade, não está consciente da totalidade do que há ali. Provavelmente, está focalizando apenas os objetos e talvez tentando nomeá-los. Caso alguma vez você tenha se maravilhado ao olhar para o espaço – e talvez até sentido um profundo respeito diante desse mistério incompreensível –, isso mostra que abandonou por um momento seu desejo de explicar e rotular e se tornou consciente não só dos objetos como da profundidade infinita do espaço em si mesmo. Deve ter permanecido silencioso o bastante em seu interior para notar a vastidão em que esses mundos incontáveis existem. O sentimento de admiração não decorre do fato de que há bilhões de mundos ali, mas da profundidade que contém todos eles.

Não conseguimos ver o espaço, é claro. Também não podemos ouvi-lo, tocá-lo nem sentir seu gosto e seu cheiro. Então, como somos capazes de saber que ele existe? Essa pergunta aparentemente lógica contém um erro fundamental. A essência do espaço é a imaterialidade, portanto ele não "existe" no sentido convencional da palavra. Apenas as coisas – formas – existem. Até mesmo chamá-lo de espaço pode ser enganador porque, ao nomeá-lo, nós o transformamos num objeto.

Vamos considerar da seguinte maneira: existe algo dentro de nós que tem afinidade com o espaço, e é por isso que somos capazes de ter consciência dele. Consciência dele? Isso não é totalmente verdadeiro também porque, como podemos ter consciência do espaço se não existe nada lá de que possamos ter consciência?

A resposta é ao mesmo tempo simples e profunda. Quando estamos conscientes do espaço, não estamos de fato conscientes de nada, a não ser da consciência em si – do espaço interior da consciência. Por nosso intermédio, o universo vai se tornando consciente de si mesmo!

Quando o olho não encontra nada para ver, essa imaterialidade é entendida como espaço. Quando os ouvidos não encontram nada para escutar, essa imaterialidade é compreendida como silêncio. Quando os sentidos, que existem para perceber a forma, encontram a ausência da forma, a consciência sem forma que está por trás da percepção e torna possível toda percepção, toda experiência, não é mais obscurecida pela forma. Quando contemplamos as profundezas insondáveis do espaço ou escutamos o silêncio nas primeiras horas do dia logo após o nascer do Sol, alguma coisa dentro de nós faz eco a isso como um reconhecimento. Então sentimos a enorme profundidade do espaço como nossa e sabemos que esse precioso silêncio que não tem forma é mais essencialmente nós mesmos do que qualquer das coisas que formam o conteúdo da nossa vida.

Os *Upanixades*, os antigos textos sagrados da Índia, referem-se a essa mesma verdade com as seguintes palavras:

> O que não pode ser visto pelos olhos, mas por meio do qual os olhos podem ver, é unicamente Brama, o Espírito, e não o que as pessoas aqui adoram. O que não pode ser escutado pelos ouvidos, mas por meio do qual os ouvidos são capazes de ouvir, é unicamente Brama, o Espírito, e não o que as pessoas aqui adoram... Aquilo que não pode ser compreendido pela mente, mas por meio do qual a mente consegue pensar, é conhecido unicamente como Brama, o Espírito, e não o que as pessoas aqui adoram.[7]

Deus, diz o texto sagrado, é a consciência sem forma e a essência de quem nós somos. Tudo o mais é forma, é "o que as pessoas aqui adoram".

A realidade duplicada do universo, que consiste em objetos e espaço – materialidade e imaterialidade –, é igual à nossa. Uma vida humana sadia, equilibrada e produtiva é uma dança entre as duas dimensões que constituem a realidade: forma e espaço. A maioria das pessoas se identifica tanto com a dimensão da forma, com as percepções sensoriais, com os pensamentos e com as emoções, que a parte oculta essencial quase desaparece da sua vida. A identificação com a forma as mantém presas ao ego.

Aquilo sobre o que pensamos a respeito, vemos, ouvimos, sentimos ou tocamos é apenas a metade da realidade, por assim dizer. É a forma. Nos ensinamentos de Jesus, isso é chamado simplesmente de "o mundo", enquanto a outra dimensão é "o reino dos Céus ou a vida eterna".

Assim como o espaço permite que todas as coisas existam e assim como não poderia haver som sem o silêncio, nós não existiríamos sem a dimensão essencial sem forma que é a nossa essência. Poderíamos chamá-la de "Deus", caso essa palavra não estivesse tão desgastada pelo uso. Prefiro denominá-la Ser. O Ser é anterior à existência. A existência é forma, conteúdo, "o que acontece". A existência é o primeiro plano da vida, enquanto o Ser é uma espécie de pano de fundo.

A doença coletiva da humanidade é o fato de as pessoas estarem tão absorvidas pelo que acontece, tão hipnotizadas pelo mundo das formas em constante mutação, tão mergulhadas no conteúdo da sua vida, que se esquecem da essência, daquilo que está além do conteúdo, da forma e do pensamento. Elas se encontram de tal maneira consumidas pelo tempo que se esquecem da eternidade, que é sua origem, seu lar, seu destino. Eternidade é viver a realidade de quem nós somos.

Anos atrás, quando estive na China, visitei um monumento no alto de uma montanha próxima a Guilin. Nele havia uma inscrição gravada com ouro. Perguntei ao guia chinês o que estava escrito ali.

– Está escrito "Buda" – disse ele.

– Por que há dois ideogramas gravados em vez de um? – quis saber.

– Um significa "homem". O outro significa "não". E os dois juntos significam "Buda" – explicou.

Fiquei ali parado completamente perplexo. O ideograma correspondente a Buda já continha todo o ensinamento do mestre. E, para um bom entendedor, o segredo da vida. Ali estão as duas dimensões que constituem a realidade – materialidade e imaterialidade, forma e negação da forma –, o que é um reconhecimento de que a forma não é quem nós somos.

Capítulo oito

A DESCOBERTA DO ESPAÇO INTERIOR

Segundo uma antiga história sufista, havia um rei num território do Oriente Médio que estava sempre dividido entre a felicidade e o desalento. A menor coisa era capaz de lhe causar grande aborrecimento ou uma reação intensa, e assim sua felicidade se convertia rapidamente em frustração e desespero. Por fim, houve um momento em que ele se cansou de si mesmo e da vida e começou a buscar uma saída. Mandou chamar um sábio que vivia no reino e que tinha a fama de ser iluminado. Quando o sábio chegou, o rei lhe disse:

– Quero ser como você. Pode me dar alguma coisa que traga equilíbrio, serenidade e sabedoria à minha vida? Pago o preço que você pedir por isso.

O sábio respondeu:

– Talvez eu possa ajudá-lo. Mas o preço é tão alto que nem todo o seu reino seria suficiente para pagá-lo. Então, vou lhe dar isso como um presente, desde que você honre o compromisso.

O rei lhe garantiu que sim e o sábio se foi.

Algumas semanas depois, ele retornou e entregou ao rei uma caixa decorada e com entalhes de jade. O rei a abriu e encontrou ali um simples anel de ouro. Havia algumas letras gravadas nele. A inscrição dizia: "Isto também passará."

– O que significa isto? – perguntou o rei.

O sábio respondeu:

– Use sempre este anel. Seja o que for que aconteça, antes de considerar esse evento bom ou mau, toque o anel e leia a inscrição. Assim, você viverá sempre em paz.

"Isto também passará" – o que essas palavras simples têm que as torna tão poderosas? Numa consideração superficial, a impressão é de que elas são capazes de dar algum conforto numa situação difícil, mas que também podem diminuir o prazer das boas coisas da vida. "Não seja feliz demais porque não vai durar." Isso parece ser o que elas estão dizendo quando aplicadas a uma circunstância tida como positiva.

Toda a importância dessa frase se torna clara quando a consideramos no contexto de duas outras histórias que mencionei anteriormente. A do mestre zen, cuja única resposta era "É mesmo?", mostra o bem proporcionado pela não resistência interior aos acontecimentos, ou seja, por estarmos unificados com o que acontece. A história do homem cujo comentário era sempre "Talvez" ilustra a sabedoria do não julgamento, enquanto a do anel destaca a transitoriedade que, quando reconhecida, leva ao desapego. Não resistência, não julgamento e desapego são os três aspectos da verdadeira liberdade e de uma vida iluminada.

As palavras inscritas no anel não dizem que não devemos aproveitar as coisas boas da vida nem visam apenas proporcionar conforto em momentos de dor. Sua finalidade principal é nos tornar conscientes de que as situações são sempre efêmeras, o que se deve à transitoriedade de todas as formas – boas ou más. Quando reconhecemos isso, nosso apego diminui e praticamente deixamos de nos identificar com as formas. O desapego não nos impede de desfrutar as coisas boas que o mundo tem a oferecer. Na verdade, passamos a usufruí-las muito mais. Depois que compreendemos e aceitamos a impermanência de tudo o que existe e a inevitabilidade da mudança, conseguimos aproveitar os prazeres enquanto eles duram, mas agora livres do medo da perda e da ansiedade quanto ao futuro. Com o desapego desenvolvemos um ponto de vista privilegiado que nos permite observar os acontecimentos em vez de ficarmos presos dentro deles. É como se nos tornássemos um astronauta que vê a Terra cercada pela vastidão do espaço e compreende uma verdade paradoxal: nosso planeta é precioso e ao mesmo tempo insignificante. O reconhecimento de que "Isto também passará" produz esse distanciamento e, com ele, nossa vida ganha mais uma dimensão – o espaço interior. Por meio do desapego, assim como do não julgamento e da não resistência interior, obtemos acesso a essa dimensão.

Quando não estamos mais totalmente identificados com as formas, a consciência – quem nós somos – se vê livre do seu aprisionamento na forma. Essa liberdade é o surgimento do espaço interior. Ele chega como um estado de silêncio e calma, uma paz sutil enraizada dentro de nós, mesmo diante de algo que parece mau – "Isto também passará". De repente existe espaço em torno do acontecimento. Há também espaço ao redor dos altos e baixos emocionais, até mesmo da dor. E, acima de tudo, existe espaço entre nossos pensamentos. E, desse espaço, emana uma paz que não é "deste mundo", porque este mundo é forma, enquanto a paz é espaço. Essa é a paz de Deus.

Agora podemos desfrutar e estimar as coisas e os eventos sem lhes atribuir uma importância que eles não possuem. Temos condições de participar da dança da criação e sermos ativos sem nos apegarmos ao resultado e sem impormos exigências pouco razoáveis em relação ao mundo, como satisfaça-me, faça-me feliz, faça-me sentir seguro, diga-me quem sou. O mundo não pode nos dar nada disso e, quando deixamos de ter essas expectativas, todo o sofrimento que nós mesmos criamos chega ao fim. Toda essa dor se deve à valorização exagerada da forma e à falta de consciência quanto à dimensão do espaço interior. Quando essa dimensão está presente na nossa vida, podemos aproveitar as coisas, as experiências e os prazeres sensoriais sem nos perdermos neles, sem nos apegarmos internamente a nada disso, isto é, sem nos tornarmos viciados no mundo.

A mensagem "Isto também passará" é um instrumento de orientação em relação à realidade. Ao indicar a transitoriedade de todas as formas, ela também aponta implicitamente para o eterno. Apenas o eterno dentro de nós reconhece o efêmero como efêmero.

Sempre que a dimensão do espaço se perde ou não é conhecida, as coisas assumem uma importância absoluta, uma seriedade e um peso que, na verdade, elas não possuem. Toda vez que o mundo não é visto da perspectiva do que não tem forma, ele se torna um lugar ameaçador e, em última análise, de desespero. O profeta do Antigo Testamento sentiu isso quando escreveu: "Todas as coisas se afadigam, e mais do que se pode dizer."[1]

A CONSCIÊNCIA DOS OBJETOS E A CONSCIÊNCIA DO ESPAÇO

A vida da maioria das pessoas é um amontoado desordenado de coisas: itens materiais, tarefas a fazer, questões sobre as quais pensar. Esse tipo de vida se assemelha à história da humanidade, que Winston Churchill definiu como "uma maldita coisa depois da outra". A mente dessas pessoas é ocupada por um emaranhado de pensamentos, um após o outro. Essa é a dimensão da consciência dos objetos, que é a realidade predominante de um grande número de indivíduos – e é por causa disso que a vida deles é tão confusa. Essa consciência precisa ser equilibrada pela consciência do espaço para que a sanidade retorne ao nosso planeta e a humanidade cumpra seu destino. O surgimento da consciência do espaço é o próximo estágio da evolução da nossa espécie.

O sentido da consciência do espaço é que, além de estarmos conscientes das coisas – que sempre se resumem a percepções, pensamentos e emoções –, existe um estado subjacente de atenção. Isso quer dizer que temos consciência não apenas das coisas (objetos) como também do fato de que estamos conscientes. É o que ocorre quando somos capazes de sentir um silêncio interior sempre alerta ao fundo enquanto os eventos acontecem no primeiro plano. Essa dimensão está presente em todos nós. No entanto, para a maioria das pessoas, ela passa totalmente despercebida. Às vezes, eu a aponto da seguinte maneira: "Você é capaz de sentir sua própria presença?"

A consciência do espaço representa a liberdade tanto em relação ao ego quanto à dependência das coisas, do materialismo e da materialidade. Ela é a dimensão espiritual que, sozinha, pode dar um significado verdadeiro e transcendente a este mundo.

Sempre que estamos aborrecidos com algo que ocorreu, com alguém ou com uma situação, a verdadeira causa desse estado de ânimo não é o que aconteceu, nem a pessoa, nem a circunstância, mas a perda da verdadeira perspectiva que apenas o espaço pode oferecer. Estamos presos à consciência dos objetos, inconscientes do espaço interior atemporal da consciência propriamente dita. A frase "Isto também passará", quando usada como um indicador, pode restaurar a consciência dessa dimensão para nós.

Outro indicador da verdade em nós está na seguinte afirmação: "Meu aborrecimento nunca é causado por aquilo que imagino."[2]

ABAIXO E ACIMA DO NÍVEL DO PENSAMENTO

Quando estamos muito cansados, podemos nos sentir mais em paz, mais relaxados, do que no estado normal. Isso acontece porque os pensamentos diminuem e, assim, não nos lembramos mais do nosso eu problemático criado pela mente. Estamos próximos ao estado do sono. A ingestão de álcool ou de determinadas drogas (desde que elas não estimulem o corpo de dor) também pode nos deixar menos tensos, mais despreocupados e até mais animados por um tempo. Às vezes, começamos a cantar e dançar, ações que, desde as épocas ancestrais, expressam a alegria de viver. Como estamos menos sobrecarregados pela mente, podemos ter um vislumbre da alegria do Ser. Talvez por isso o álcool seja chamado também de *spirit* ("espírito") na língua inglesa. Mas existe um alto preço a pagar: a inconsciência. Em vez de nos posicionarmos acima do nível do pensamento, caímos abaixo dele. Algumas doses a mais de bebida e teremos regressado ao reino vegetal.

A consciência do espaço tem muito pouco a ver com o estado de desorientação. Ambos estão além do nível do pensamento. Isso eles têm em comum. A diferença fundamental, contudo, é que, no primeiro caso, nos colocamos acima do nível do pensamento; no segundo, ficamos abaixo dele. Um é o próximo passo na evolução da consciência humana, o outro uma regressão a um estágio que superamos eras atrás.

A TELEVISÃO

Ver televisão é a atividade de lazer favorita (ou melhor, a opção de inatividade) de milhões de pessoas em todo o mundo. Nos Estados Unidos, por exemplo, quem está na faixa dos 60 anos de idade já terá passado 15 anos diante da tela da TV. Em muitos outros países, os índices são semelhantes.

Para um número significativo de pessoas, ver televisão é algo "relaxante". Observe a si mesmo e verá que, quanto mais tempo sua atenção permanece tomada pela tela, mais sua atividade intelectual se mantém suspensa. Assim, por longos períodos você estará assistindo a atrações como programas de entrevistas, jogos, shows de variedades, quadros de humor e até mesmo a anúncios sem que quase nenhum pensamento seja gerado pela sua mente. Você não apenas deixa de se lembrar dos seus problemas como se torna livre de si mesmo por um tempo – e o que poderia ser mais relaxante do que isso?

Então ver televisão cria o espaço interior? Será que isso nos faz entrar no estado de presença? Infelizmente, não é o que acontece. Embora a mente possa ficar sem produzir nenhum pensamento por um bom tempo, ela permanece ligada à atividade do pensamento do programa que está sendo exibido. Mantém-se associada à versão televisiva da mente coletiva e segue absorvendo seus pensamentos. Sua inatividade é apenas no sentido de que ela não está gerando pensamentos. No entanto, continua assimilando os pensamentos e as imagens que chegam à tela. Isso induz um estado passivo semelhante ao transe, que aumenta a suscetibilidade, e não é diferente da hipnose. É por isso que a televisão se presta à manipulação da "opinião pública", como é do conhecimento de políticos, de grupos que defendem interesses específicos e de anunciantes – eles gastam fortunas para nos prender no estado de inconsciência receptiva. Querem que seus pensamentos se tornem nossos pensamentos e, em geral, conseguem.

Portanto, quando estamos vendo televisão, nossa tendência é cair abaixo do nível do pensamento, e não nos posicionarmos acima dele. A TV tem isso em comum com o álcool e com determinadas drogas. Embora ela nos proporcione um pouco de alívio em relação à mente, mais uma vez pagamos um preço alto: a perda da consciência. Assim como as drogas, essa distração tem uma grande capacidade de viciar. Procuramos o controle remoto para mudar de canal e, em vez disso, nos vemos percorrendo todas as emissoras. Meia hora ou uma hora mais tarde, ainda estamos ali, passeando pelos canais. O botão de desligar é o único que nosso dedo parece incapaz de apertar. Continuamos olhando para a tela. Porém, normalmente não porque algo significativo tenha chamado nossa atenção, e sim porque não há nada interessante sendo transmitido. Depois que somos fisgados, quanto mais trivial e mais sem sentido é a atração, mais intenso se torna nosso vício. Se isso fosse estimulante para o pensamento, motivaria nossa mente a pensar por si mesma de novo, o que é algo mais consciente e, portanto, preferível a um transe induzido pela televisão. Dessa forma, nossa atenção deixaria de ser prisioneira das imagens da tela.

O conteúdo da programação, caso apresente alguma qualidade, pode até certo ponto neutralizar, e algumas vezes até mesmo desfazer, o efeito hipnótico e entorpecedor da TV. Existem determinados programas que são de uma utilidade extrema para muitas pessoas – mudam sua vida para melhor, abrem seu coração, fazem com que se tornem mais conscientes. Há também algumas atrações humorísticas que acabam sendo espirituais, mesmo que não tenham essa intenção, por mostrarem uma versão caricata da insensatez humana e do ego. Elas nos ensinam a não levar nada muito a sério, a permitir um pouco mais de descontração e leveza na nossa vida. E, acima de tudo, nos ensinam isso enquanto nos fazem rir. O riso tem uma extraordinária capacidade de liberar e curar. Contudo, a maior parte do que é exibido na televisão ainda está nas mãos de pessoas que são totalmente dominadas pelo ego. Assim, a intenção oculta da TV é nos controlar nos colocando para dormir, isto é, deixando-nos inconscientes. Mesmo assim, existe um potencial enorme e ainda inexplorado nesse meio de comunicação.

Evite assistir a programas e anúncios que o agridam com uma rápida sucessão de imagens que mudam a cada dois ou três segundos ou menos. O hábito de assistir à televisão em excesso e essas atrações em particular são duas causas importantes do transtorno de déficit de atenção, um distúrbio mental que vem afetando milhões de crianças em todo o mundo. A atenção deficiente, de curta duração, torna todos os nossos relacionamentos e percepções superficiais e insatisfatórios. Qualquer coisa que façamos nesse estado, qualquer ação que executemos, carece de qualidade, pois a qualidade requer atenção.

O hábito de ver televisão com frequência e por longos períodos não só nos deixa inconscientes como induz a passividade e drena toda a nossa energia. Portanto, em vez de assistir à TV ao acaso, escolha os programas que despertam seu interesse. Enquanto estiver diante dela, procure sentir a vívida atividade dentro do seu corpo – faça isso toda vez que se lembrar. De vez em quando, tome consciência da sua respiração. Desvie os olhos da tela em intervalos regulares, pois isso evitará que ela se aposse completamente do seu sentido visual. Não ajuste o volume acima do necessário para que a televisão não o domine no nível auditivo. Tire o som durante os intervalos. Procure não dormir logo após desligar o aparelho ou, ainda pior, adormecer com ele ligado.

RECONHECENDO O ESPAÇO INTERIOR

É provável que o espaço entre os pensamentos já esteja surgindo de vez em quando na nossa vida e talvez nem estejamos cientes disso. Uma consciência que é fortemente atraída pelas experiências e condicionada a se identificar apenas com a forma, isto é, a consciência dos objetos, considera, a princípio, quase impossível perceber o espaço. Em última análise, isso quer dizer que não conseguimos nos tornar conscientes de nós mesmos porque estamos sempre conscientes de outra coisa qualquer. Permanecemos distraídos pela forma de modo permanente. Até mesmo quando parecemos estar conscientes de nós mesmos, acabamos nos transformando num objeto, numa forma de pensamento. Assim, aquilo de que temos consciência não corresponde a nós, é apenas um pensamento.

Quando ouvimos falar de espaço interior, pode ser que comecemos a buscá-lo. No entanto, se fizermos isso como se estivéssemos procurando um objeto ou uma experiência, não teremos sucesso. Esse é o dilema de todos aqueles que estão tentando alcançar a compreensão espiritual, ou iluminação. Por isso, Jesus disse: "O Reino de Deus não virá de um modo ostensivo. Nem se dirá: Ei-lo aqui; ou: Ei-lo ali. Pois o Reino de Deus já está dentro de vós."[3]

Se não gastamos todo o nosso tempo com descontentamento, preocupação, ansiedade, depressão, desespero nem nos deixamos consumir por outros estados negativos; se temos a capacidade de desfrutar as coisas simples, como ouvir o som da chuva ou do vento; se conseguimos ver a beleza das nuvens passando pelo céu; se temos condições de ficar sozinhos de tempos em tempos sem nos sentir solitários nem carentes do estímulo mental de um entretenimento; se somos capazes de nos ver tratando um estranho com uma bondade sincera sem esperar nada em troca, isso significa que se abriu um espaço – não importa que seja curto – no fluxo incessante de pensamentos que é a mente humana. Quando isso acontece, experimentamos uma sensação de bem-estar, de paz viva, ainda que sutil. A intensidade pode variar de um sentimento quase imperceptível de contentamento em segundo plano ao que os antigos sábios da Índia chamavam de *ananda* – a alegria do Ser. Como fomos condicionados a prestar atenção apenas na forma, provavelmente não temos consciência dela, a não ser de modo indireto. Por exemplo, existe um elemento comum na capacidade de vermos a beleza, de valorizarmos as coisas simples, de gostarmos de ficar sozinhos e de nos relacionarmos com as pessoas com benevolência. Esse elemento comum é um sentimento de contentamento, de paz e de vivacidade que é o pano de fundo invisível sem o qual essas experiências não seriam possíveis.

Sempre que você detectar a beleza, a amabilidade, o reconhecimento do que existe de bom nas coisas simples da sua vida, procure pelo pano de fundo de tudo isso dentro de si mesmo. Mas não busque esse segundo plano como se estivesse tentando encontrar alguma coisa. Você não conseguirá identificá-lo com precisão e dizer: "Agora eu o tenho." Também não poderá prendê-lo com a mente e defini-lo de algum jeito. Ele é como o céu sem nuvens. Não tem forma. É espaço – é silêncio, a doçura do Ser e infinitamente mais do que estas palavras, que podem apenas sugerir o que ele é. Quando você for capaz de senti-lo diretamente em seu interior, ele se aprofundará. Então, toda vez que você valorizar algo simples – um som, uma imagem, um toque –, nos momentos em que vir a beleza e sempre que tiver um sentimento de benevolência em relação ao outro, sentirá a amplitude interior que é a fonte e o pano de fundo dessas vivências.

Ao longo dos séculos, muitos poetas e sábios observaram que a verdadeira felicidade – eu a chamo de alegria do Ser – é encontrada nas coisas simples, aparentemente comuns. A maioria das pessoas, na sua busca incansável por algo importante que possa acontecer na sua vida, costuma não prestar atenção no que é insignificante, que pode não ser insignificante de maneira nenhuma. O filósofo Nietzsche, num raro momento de silêncio profundo, escreveu: "Como é preciso pouco para a felicidade! (...) a menor coisa, precisamente a mais suave, a mais leve, o farfalhar de um lagarto, um sopro, um psiu, um olhar de relance – é o pouco que faz a *melhor* felicidade. Silêncio!"[4]

Por que "a menor coisa" faz a "melhor felicidade"? Porque a verdadeira felicidade não é *causada* nem pela coisa nem pelo acontecimento, embora seja assim que pareça a princípio. Ambos são tão sutis, tão pouco perceptíveis, que ocupam apenas uma pequena parte da nossa consciência – o resto é espaço interior, a consciência propriamente dita não obstruída pela forma. A consciência do espaço interior e quem nós somos em nossa essência são a mesma e uma só coisa. Em outras palavras, a forma das pequenas coisas deixa lugar para o espaço interior. E dele, que é a própria consciência não condicionada, emana a verdadeira felicidade, a alegria do Ser. Para estarmos conscientes daquilo que é pequeno e suave, precisamos, porém, permanecer silenciosos em nosso interior. Isso requer um alto grau de atenção. Aquiete-se. Olhe. Ouça. Esteja presente.

Esta é outra maneira de encontrar o espaço interior: torne-se consciente de estar consciente. Diga ou pense "Eu Sou" e não acrescente mais nada. Tome consciência do silêncio que acompanha o Eu Sou. Sinta sua presença, que é o puro estado de ser despojado de qualquer coisa, despido, revelado. Não há nada que a afete – nem a juventude nem a velhice, nem a riqueza nem a pobreza, nem a bondade nem a maldade, nem quaisquer outros atributos. Ela é o amplo útero de toda criação, de todas as formas.

VOCÊ CONSEGUE OUVIR O CÓRREGO NA MONTANHA?

Um mestre zen estava caminhando em silêncio com um dos seus discípulos por uma trilha na montanha. Quando chegaram a um velho pé de cedro, eles se sentaram embaixo dessa árvore e fizeram uma refeição simples, com apenas de um pouco de arroz e hortaliças. Após a refeição, o discípulo, um jovem monge que ainda não descobrira a chave para o mistério do zen, rompeu o silêncio perguntando ao mestre:

– Mestre, como faço para entrar no zen?

Ele estava, é claro, perguntando como entrar no estado de consciência que é conhecido como zen.

O mestre permaneceu em silêncio. O discípulo esperou ansiosamente por uma resposta por quase cinco minutos. Ele estava prestes a fazer outra pergunta quando o mestre falou de repente:

– Está ouvindo o som daquele córrego na montanha?

O discípulo não tinha notado nenhum córrego na montanha. Estivera mais preocupado em pensar sobre o significado do zen. Agora, enquanto começava a escutar o som, sua mente ruidosa se acalmou. A princípio ele não ouviu nada. Depois, seu pensamento deu lugar a um estado de alerta mais intenso e, de repente, ele ouviu o murmúrio quase imperceptível de um córrego a longa distância.

— Sim, consigo ouvir agora — confirmou.

O mestre ergueu um dedo e, com um olhar que de alguma maneira era ao mesmo tempo feroz e gentil, complementou:

— Entre no zen por aí.

O discípulo ficou perplexo. Era seu primeiro *satori* — um lampejo de iluminação. Ele sabia o que o zen era sem saber o que era aquilo que ele sabia!

Eles prosseguiram na sua jornada em silêncio. O discípulo estava impressionado com a manifestação da vida no mundo à sua volta. Sentia tudo como se fosse pela primeira vez. Pouco a pouco, porém, começou a pensar de novo. O silêncio alerta voltou a ser encoberto pelo ruído mental, e não demorou muito tempo para que ele fizesse outra pergunta.

— Mestre, estive pensando. O que o senhor teria dito se eu não tivesse sido capaz de ouvir o córrego?

O mestre parou, olhou para ele, ergueu o dedo e disse:

— Entre no zen por aí.

A AÇÃO CORRETA

O ego pergunta: "Como posso fazer com que esta situação satisfaça minhas necessidades ou como posso chegar a outra situação que *venha* atender minhas necessidades?"

A presença é um estado de grande amplitude interna. Quando estamos presentes, perguntamos: "Como devo responder às necessidades desta situação, deste momento?" Na verdade, nem sequer precisamos fazer essa pergunta. Estamos em silêncio, atentos, abertos ao que *é*. Trazemos uma nova dimensão à situação: espaço. Então observamos e escutamos. Assim nos tornamos um com a situação. Sempre que, em vez de reagirmos a uma circunstância, nos fundimos a ela, a solução surge da própria circunstância. Na verdade, não somos nós, a pessoa, que estamos olhando e escutando, mas o silêncio alerta em si. Então, se a ação é possível ou necessária, a executamos ou, mais exatamente, a ação correta acontece por nosso intermédio. A ação correta é aquela que é adequada para o todo. Quando ela é consumada, o silêncio alerta e amplo permanece. Ninguém levanta os braços num gesto de triunfo gritando um desafiador "É isso aí!" nem dizendo "Olhem, eu consegui".

Toda criatividade surge da amplitude interior. Depois que a criação acontece e alguma coisa toma forma, precisamos ficar vigilantes para que as noções de "eu" e "meu" não apareçam. Se nos atribuirmos o crédito pelo que conseguimos fazer, é porque o ego está de volta e o amplo espaço tornou-se obscurecido.

PERCEBER SEM NOMEAR

As pessoas, em sua maioria, estão apenas superficialmente conscientes do mundo que as cerca, sobretudo quando estão familiarizadas com o ambiente em que se encontram. A voz na cabeça absorve a maior parte da sua atenção. Há quem se sinta mais vivo quando viaja e visita lugares desconhecidos ou outros países porque, nessas ocasiões, a percepção sensorial ocupa mais a sua consciência do que o pensamento. Esses indivíduos se tornam mais presentes. Outros permanecem sob o total domínio da voz na cabeça até mesmo nessas situações. Suas percepções e sensações são distorcidas por julgamentos instantâneos. Na verdade, eles não chegaram a ir a lugar nenhum. Apenas seu corpo está viajando, enquanto elas permanecem onde sempre estiveram: na própria cabeça.

Essa é a realidade da maior parte das pessoas: tão logo alguma coisa é percebida, ela é nomeada, interpretada, comparada com outra coisa qualquer, apreciada, detestada ou chamada de boa ou má pelo eu fantasma, o ego. Elas estão aprisionadas nas formas de pensamento, na consciência do objeto.

Ninguém desperta espiritualmente enquanto não interrompe o processo compulsivo e inconsciente de nomear ou, pelo menos, até que tome consciência dele e assim seja capaz de observá-lo enquanto ocorre. É por meio desse nomear constante que o ego permanece em atividade como a mente não observada. Sempre que ele para e até mesmo quando apenas nos tornamos conscientes dele, há lugar para o espaço interior e então deixamos de ser possuídos pela mente.

Agora, escolha um objeto próximo a você – uma caneta, uma cadeira, uma xícara, uma planta – e examine-o visualmente, ou seja, olhe para ele com grande interesse, quase com curiosidade. Evite itens com fortes associações pessoais que o façam se lembrar do passado, como onde você os comprou, de quem os ganhou, etc. Deixe de lado também tudo o que tenha algo escrito, como um livro ou uma garrafa. Isso pode estimular o pensamento. Sem fazer esforço, relaxado mas alerta, dedique total atenção ao objeto, a cada detalhe dele. Se surgirem pensamentos, não se envolva com eles. Não é neles que você está interessado, e sim no ato da percepção em si. Você consegue retirar o pensamento de dentro da percepção? É capaz de observar sem que a voz na sua cabeça faça comentários, tire conclusões, compare ou tente descobrir alguma coisa? Depois de uns dois minutos, deixe seu olhar vagar pelo ambiente, com sua atenção alerta iluminando cada coisa sobre a qual ela pousar.

Depois, ouça os sons que possam estar presentes. Faça isso da mesma maneira como olhou para as coisas ao seu redor. Talvez alguns sons sejam naturais – água, vento, pássaros –, enquanto outros serão artificiais. Alguns podem ser agradáveis, outros desagradáveis. No entanto, não faça diferença entre bons e maus. Deixe cada som ser como ele é, não o interprete. Nesse caso também, o segredo é a atenção relaxada, porém alerta.

No momento em que olhar e escutar dessa maneira, você poderá se tornar consciente de um sentimento sutil de calma, que, a princípio, talvez seja difícil de perceber. Algumas pessoas o sentem como um silêncio em segundo plano. Outras preferem chamá-lo de paz. Quando a consciência não está mais totalmente absorvida pelo pensamento, uma parte dela permanece no seu estado original, não condicionado, sem forma. Esse é o espaço interior.

QUEM É O SUJEITO DA EXPERIÊNCIA?

O que vemos, escutamos, provamos pelo paladar, tocamos e cheiramos são, evidentemente, objetos dos sentidos. Eles são aquilo que experimentamos. Mas quem é o sujeito, aquele que vivencia a experiência? Se dissermos, por exemplo, "É claro que eu, João da Silva, contador, 45 anos de idade, divorciado, pai de dois filhos, brasileiro, sou o sujeito, aquele que vivencia a experiência", estamos enganados. João da Silva e todos os elementos identificados com o conceito mental dessa pessoa são todos objetos da experiência, e não o sujeito que a está vivenciando.

Toda experiência possui três ingredientes possíveis: percepção dos sentidos, pensamentos ou imagens mentais e emoções. João da Silva, contador, 45 anos de idade, divorciado, pai de dois filhos, brasileiro – esses são todos pensamentos e, portanto, fazem parte do que nós sentimos no momento que os temos. Eles e qualquer outra coisa que possamos dizer e pensar sobre nós são objetos, e não o sujeito. São a experiência, e não aquele que vivencia a experiência. Podemos acrescentar mais umas mil definições (pensamentos) sobre quem nós somos e, ao fazermos isso, certamente aumentaremos a complexidade da experiência de nós mesmos. No entanto, dessa maneira, não chegaremos ao sujeito, que é anterior a toda experiência, mas sem o qual elas não existiriam.

Então quem é aquele que vivencia a experiência? Somos nós. E quem somos nós? Consciência. E o que é consciência? Essa pergunta não pode ser respondida. No momento em que a respondermos, vamos falsificá-la, transformá-la em outro objeto. A consciência, termo tradicional para aquilo que é *espírito*, não pode ser conhecida no sentido comum dessa palavra, e tentar persegui-la é bobagem. Todo conhecimento se encontra no âmbito da dualidade – sujeito e objeto, o conhecedor e o conhecido. O sujeito, o eu, o conhecedor sem o qual nada seria conhecido, percebido, pensado ou sentido, deve permanecer para sempre incognoscível. Isso porque o eu não tem forma. Apenas as formas podem ser conhecidas. E, ainda assim, sem a dimensão sem forma, o mundo das formas não poderia existir. Esse é o espaço iluminado no qual o mundo surge e desaparece. Ele é a vida que Eu Sou. É eterno. Eu Sou eterno, perpétuo. O que acontece nesse espaço é relativo e temporário: prazer e dor, ganho e perda, nascimento e morte.

O maior impedimento à descoberta do espaço interior, a principal barreira à descoberta daquele que tem a experiência, é nos tornarmos tão subjugados pela experiência que acabemos perdidos nela. Isso significa que a consciência está desorientada em seu próprio sonho. Somos arrebatados por todo pensamento, toda emoção e toda sensação a tal ponto que, na verdade, nos encontramos num estado de sonambulismo. Essa tem sido a situação normal da humanidade por milhares de anos.

Embora não possamos conhecer a consciência, somos capazes de nos tornar conscientes dela como nós mesmos. Temos como senti-la diretamente em qualquer situação, não importa onde estejamos. Podemos senti-la aqui e agora como nossa verdadeira presença, o espaço interior em que as palavras nesta página são percebidas e se transformam em pensamentos. Ela é o Eu Sou subjacente. Por exemplo, as palavras que você está lendo e nas quais está pensando são o primeiro plano, enquanto o Eu Sou é o substrato, o pano de fundo implícito em cada sensação, pensamento e sentimento.

A RESPIRAÇÃO

Podemos descobrir o espaço interior criando lacunas no fluxo do pensamento. Sem elas, o pensamento se torna repetitivo, desprovido de inspiração, sem nenhuma centelha criativa – e é assim que ele é para a maioria das pessoas. Não precisamos nos preocupar com a duração dessas lacunas. Alguns segundos bastam. Aos poucos, elas irão aumentar por si mesmas, sem nenhum esforço da nossa parte. Mais importante do que fazer com que sejam longas é criá-las com frequência para que nossas atividades diárias e nosso fluxo de pensamento sejam entremeados por espaços.

Certa ocasião alguém me mostrou a programação anual de uma grande organização espiritual. Quando a examinei, fiquei impressionado pela rica seleção de seminários e palestras interessantes. A pessoa me perguntou se eu poderia recomendar uma ou duas atividades. "Não sei, não. Todas elas me parecem muito interessantes. Mas eu conheço esta: tome consciência da sua respiração sempre que puder, toda vez que se lembrar. Faça isso durante um ano e terá uma experiência transformadora bem mais forte do que a participação em qualquer uma dessas atividades. E é de graça."

Tomar consciência da respiração faz com que a atenção se afaste do pensamento e produz espaço. É uma maneira de gerar consciência. Embora a plenitude da consciência já esteja presente como o não manifestado, estamos aqui para levar a consciência a essa dimensão.

Tome consciência da sua respiração. Observe a sensação do ato de respirar. Sinta o movimento de entrada e saída do ar ocorrendo em seu corpo. Veja como o peito e o abdômen se expandem e se contraem ligeiramente quando você inspira e expira. Basta uma respiração consciente para produzir espaço onde antes havia a sucessão ininterrupta de pensamentos. Uma respiração consciente (duas ou três seria ainda melhor) feita muitas vezes ao dia é uma maneira excelente de criar espaços na sua vida. Mesmo que você medite sobre sua respiração por duas horas ou mais, o que é uma prática adotada por algumas pessoas, uma respiração basta para deixá-lo consciente. O resto são lembranças ou expectativas, isto é, pensamentos. Na verdade, respirar não é algo que façamos, mas algo que testemunhamos. A respiração acontece por si mesma. Ela é produzida pela inteligência inerente ao corpo. Portanto, basta observá-la. Essa atividade não envolve nem tensão nem esforço. Além disso, note a breve suspensão do fôlego – sobretudo no ponto de parada no fim da expiração – antes de começar a inspirar de novo.

Muitas pessoas tem a respiração curta, o que não é natural. Quanto mais tomamos consciência da respiração, mais sua profundidade se restabelece sozinha.

Como a respiração não tem forma própria, ela tem sido equiparada ao espírito – a Vida sem uma forma específica – desde tempos ancestrais. "O Senhor Deus formou, pois, o homem do barro da terra, e inspirou-lhe nas narinas um sopro de vida; e o homem se tornou um ser vivente."[5] A palavra alemã para respiração – *atmen* – tem origem no termo sânscrito *Atman*, que significa o espírito divino que nos habita, ou o Deus interior.

O fato de a respiração não ter forma é uma das razões pelas quais a consciência da respiração é uma maneira muito eficaz de criar espaços na nossa vida, de produzir consciência. Ela é um excelente objeto de meditação justamente porque não é um objeto, não tem contorno nem forma. O outro motivo é que a respiração é um dos mais sutis e aparentemente insignificantes fenômenos, a "menor coisa", que, segundo Nietzsche, constitui a "melhor felicidade". Cabe a você decidir se vai ou não praticar a consciência da respiração como uma verdadeira meditação formal. No entanto, a meditação formal não substitui o empenho em criar a consciência do espaço na sua vida cotidiana.

Ao tomarmos consciência da respiração, nos vemos forçados a nos concentrar no momento presente – o segredo de toda a transformação interior, espiritual. Sempre que nos tornamos conscientes da respiração, estamos absolutamente no presente. Percebemos também que não conseguimos pensar e nos manter conscientes da respiração ao mesmo tempo. A respiração consciente suspende a atividade mental. No entanto, longe de estarmos em transe ou semidespertos, permanecemos acordados e alerta. Não ficamos abaixo do nível do pensamento, e sim acima dele. E, se observarmos com mais atenção, veremos que essas duas coisas – nosso pleno estado de presença e a interrupção do pensamento sem a perda da consciência – são, na verdade, a mesma coisa: o surgimento da consciência do espaço.

VÍCIOS

Um padrão de comportamento compulsivo de longa duração pode ser chamado de vício, e um vício vive dentro de nós como uma quase identidade ou subpersonalidade – um campo energético que periodicamente assume total controle sobre nós. Ele chega de fato a dominar nossa mente, a voz na nossa cabeça, que, assim, se torna a voz do vício. Pode dizer-nos algo como: "Você teve um dia duro. Merece um agrado. Por que se negar o único prazer que lhe resta na vida?" E, assim, se nos identificarmos com a voz interior por causa da falta de consciência, nos veremos caminhando para a geladeira e pegando uma bela torta de chocolate. Em outras ocasiões, o vício pode superar completamente nossos pensamentos e, de repente, talvez estejamos fumando um cigarro ou segurando um copo de bebida. "Como é que isso veio parar na minha mão?" Tirar o cigarro do maço e acendê-lo ou servir-se de uma bebida foram atos executados em total inconsciência.

Se você tem um padrão de comportamento compulsivo, como fumar, comer em excesso, beber, ver televisão, ficar muitas horas conectado à internet ou qualquer outra coisa do gênero, pense em fazer o seguinte: quando observar a necessidade compulsiva despontar dentro de si, pare e respire conscientemente três vezes. Isso desperta a consciência. Então, por alguns minutos, tome consciência dessa ansiedade como um campo energético no seu interior. Sinta de modo consciente essa necessidade física ou mental que o leva a querer ingerir algo, consumir determinada substância ou adotar uma forma de comportamento compulsivo. Em seguida, respire conscientemente mais algumas vezes. Depois, poderá descobrir que a urgência compulsiva desapareceu – pelo menos dessa vez. Ou que ela ainda o domina, e tudo o que lhe resta é agir sob seu comando de novo. Nesse caso, porém, não faça disso um problema. Torne o vício parte da sua prática de consciência, seguindo as instruções que acabei de fornecer. À medida que a consciência for aumentando, os padrões de dependência começarão a se enfraquecer e acabarão por se dissipar. Lembre-se, contudo, de estar atento a todos os pensamentos que justificam o comportamento exigido pelo vício, algumas vezes com argumentos inteligentes. Pergunte-se: "Quem está dizendo isto?" E perceberá que é o vício. Uma vez que você saiba disso, que esteja presente como o observador da sua mente, serão menores as probabilidades de que ele o engane para que atenda sua vontade.

A PERCEPÇÃO DO CORPO INTERIOR

Outra maneira simples mas eficaz de encontrarmos espaço na nossa vida está intimamente ligada à respiração. Você descobrirá que, enquanto sente o fluxo sutil do ar entrar no seu corpo e sair dele, assim como o movimento de subida e descida do tórax e do abdômen, também está ficando ciente do seu corpo interior. Sua atenção pode então se transferir da respiração para essa sensação de energia vital que está disseminada dentro do seu corpo.

As pessoas, em sua maioria, estão tão distraídas pelos pensamentos, tão identificadas com a voz dentro da sua cabeça, que não conseguem mais perceber a energia vital em seu interior. Ser incapaz de sentir a vida que anima o corpo físico, a própria vida que nós somos, é a maior privação que alguém pode sofrer. Assim, elas começam a buscar não apenas substitutos desse estado natural de bem-estar interno como também algo que encubra o permanente desconsolo que sentem por não estarem em contato com essa energia vital, que permanece presente, embora costume ser desconsiderada. Alguns dos substitutos mais procurados são as emoções fortes induzidas pelas drogas, a superestimulação sensorial (como a música em alto volume), distrações eletrizantes ou perigosas e a obsessão pelo sexo. Até mesmo os conflitos nos relacionamentos são colocados no lugar dessa sensação genuína de energia vital. O recurso mais visado para suprir o contínuo desalento subjacente são os relacionamentos íntimos: um homem ou uma mulher que "faça a pessoa feliz". Isso, é claro, está entre as mais frequentes de todas as "decepções". E, quando o desconsolo volta à tona, o parceiro ou parceira é sempre responsabilizado/a por isso.

Respire conscientemente duas ou três vezes. Agora veja se consegue detectar uma sensação sutil da energia vital que permeia todo o seu corpo interior. Você é capaz de, digamos, sentir seu corpo de dentro para fora? Procure ter uma breve sensação de partes específicas – as mãos, depois os braços, os pés e as pernas. Pode sentir o abdômen, o peito, a nuca e a cabeça? E quanto aos lábios? Há vida neles? Em seguida, tome consciência mais uma vez do corpo interior como um todo. A princípio, talvez você queira praticar esse exercício de olhos fechados. No entanto, depois de sentir seu corpo, abra os olhos e observe ao redor enquanto continua a senti-lo. Algumas pessoas podem achar que não há necessidade de fechar os olhos. Na verdade, talvez elas até consigam sentir o corpo interior enquanto leem este texto.

ESPAÇO INTERIOR E EXTERIOR

Nosso corpo interior não é sólido, mas amplo. Ele não é nossa forma física, e sim a vida que a anima. É a inteligência que criou o corpo e o mantém, coordenando ao mesmo tempo centenas de funções diferentes de complexidade tão extraordinária que a mente só consegue compreender uma fração disso. Quando nos tornamos conscientes dele, o que de fato acontece é que a inteligência está se tornando consciente de si mesma.

Os físicos descobriram que a aparente solidez da matéria é uma ilusão criada pelos sentidos. Isso inclui o corpo físico. Nós o percebemos e pensamos sobre ele como uma forma, entretanto 99,99% dele é, na verdade, espaço vazio. Essa é a vastidão do espaço que existe entre os átomos em comparação com seu tamanho. E há também muito espaço dentro de cada átomo. O corpo físico não passa de uma percepção distorcida de quem nós somos. Em diversos aspectos, ele é uma versão microscópica do espaço exterior. Para obter uma ideia da extensão do espaço entre os corpos celestiais, considere o seguinte: viajando a 300 mil quilômetros por segundo, a luz leva pouco mais de um segundo para percorrer a distância entre a Terra e a Lua. A luz do Sol alcança nosso planeta em cerca de oito minutos. A luz de Próxima Centauri, a estrela que está mais perto do Sol e a segunda mais próxima a nós depois dele, viaja por 4,5 anos até chegar à Terra. Essa é a amplidão do espaço que nos rodeia. E também há o espaço intergaláctico, cuja dimensão desafia toda a compreensão. A luz de Andrômeda, a galáxia mais próxima a nós, atinge nosso planeta em 2,4 milhões de anos. Não é incrível que nosso corpo seja exatamente tão vasto quanto o universo?

Assim, o corpo físico, que é forma, revela-se essencialmente sem forma quando mergulhamos fundo nele. Torna-se uma passagem para o espaço interior. Embora o espaço interior seja informe, ele é pleno de vida. Aquele "espaço vazio" é a vida na sua totalidade, a Origem não manifestada da qual fluem todas as manifestações. A palavra usual para designar a Origem é Deus.

Os pensamentos e as palavras pertencem ao mundo da forma; eles não podem expressar a ausência dela. Assim, quando dizemos "Estou conseguindo sentir meu corpo interior", essa é uma falsa percepção criada pelo pensamento. O que ocorre de verdade é que a consciência que aparece como o corpo – a consciência que Eu Sou – está se tornando consciente de si mesma. No momento em que deixamos de confundir quem nós somos com uma forma temporária de "eu", a dimensão do eterno e infinito – Deus – pode se expressar por nosso intermédio e nos guiar. Ela também nos liberta da dependência em relação à forma. No entanto, um reconhecimento apenas intelectual, ou a crença "Não sou esta forma", é inútil. A pergunta fundamental é: sou capaz sentir a presença do espaço interior neste momento? Na realidade, seu sentido é: consigo sentir minha própria presença, a presença que Eu Sou?

Podemos ainda abordar essa verdade usando um indicador diferente, como a seguinte pergunta: "Tenho consciência não só do que está acontecendo neste momento como também do Agora propriamente dito como o espaço interior eterno em que tudo acontece?" Embora essa indagação pareça não ter nada a ver com o corpo interior, podemos nos surpreender com o fato de que, ao nos tornarmos conscientes do espaço do Agora, de repente nos sentiremos mais vivos por dentro. Estaremos percebendo a energia vital do corpo interior – e ela é uma parte intrínseca da alegria do Ser. Temos que entrar no corpo para ir além dele e descobrir que não somos aquilo.

Sempre que possível, use a consciência do corpo interior para produzir espaço. Durante uma espera, quando estiver ouvindo alguém ou nas ocasiões em que fizer uma pausa para apreciar o céu, uma árvore, uma flor, seus filhos, seu marido ou sua mulher, sinta a vida dentro de si ao mesmo tempo. Isso significa que parte da sua atenção ou consciência permanece sem forma, enquanto o resto está disponível para o mundo exterior das formas. Toda vez que você "habitar" seu corpo dessa maneira, ele servirá como uma âncora para mantê-lo presente no Agora. Isso o impedirá de se perder no pensamento, nas emoções e nas situações externas.

Quando pensamos, sentimos, percebemos e vivemos uma experiência, a consciência adquire uma forma. É a reencarnação – num pensamento, num sentimento, num sentido de percepção, numa experiência. O ciclo de renascimentos de que os budistas esperam finalmente se libertar acontece de modo contínuo, e é apenas neste momento – por meio do poder do Agora – que conseguiremos sair dele. Pela total aceitação da forma do Agora, alcançamos um alinhamento interno com o espaço, que é a essência do Agora. Por meio da aceitação, criamos uma vastidão interior. Procuramos nos unificar com o espaço, e não com a forma: é isso que leva a verdadeira perspectiva e o equilíbrio à nossa vida.

PERCEBENDO AS LACUNAS

Ao longo do dia, vemos e ouvimos uma sucessão de coisas em contínua mutação. No primeiro momento, quando vemos algo ou ouvimos um som – sobretudo se não estamos familiarizados com eles –, antes que a mente os nomeie ou interprete, costuma surgir uma lacuna de atenção alerta na qual ocorre a percepção. Essa lacuna é o espaço interior. Sua duração difere de pessoa para pessoa. É fácil perdê-la porque, no caso de muita gente, ela é extremamente curta, talvez de apenas um segundo ou menos.

Veja o que acontece: no primeiro momento da percepção de uma nova imagem ou de um novo som, há uma breve suspensão do fluxo habitual de pensamento. A consciência é desviada do pensamento porque ela é requerida para sentir a percepção. Uma imagem ou um som muito incomuns podem nos deixar "sem palavras" – até mesmo internamente, ou seja, eles produzem uma lacuna mais longa.

A frequência e a duração desses espaços determinam nossa capacidade de desfrutar a vida, de sentir uma ligação interior com as pessoas e também com a natureza. Elas estabelecem ainda nosso grau de libertação do ego, pois este implica a inconsciência total da dimensão do espaço.

Quando nos tornamos conscientes desses breves intervalos que acontecem naturalmente, eles começam a se tornar mais longos. À medida que isso ocorre, vamos vivenciando com uma frequência crescente a alegria de perceber as coisas com pouca ou nenhuma interferência do pensamento. O mundo ao nosso redor então parece revigorado, novo e vivo. Quanto mais percebemos a vida por intermédio de uma tela mental de abstração e conceituação, mais desanimado e monótono se torna o ambiente em torno de nós.

PERDER-SE PARA SE ENCONTRAR

O espaço interior surge também sempre que deixamos de lado a necessidade de enfatizar nossa identificação com a forma. Isso é algo requerido pelo ego. Não é uma carência genuína. Já abordei brevemente esse ponto. Toda vez que abrimos mão de um padrão de comportamento que leva a isso, criamos o espaço interior. Reforçamos quem nós somos de verdade. Para o ego, é como se estivéssemos nos perdendo de nós mesmos, porém ocorre o oposto. Jesus nos ensinou que precisamos nos perder para nos encontrar. Quando abandonamos um desses padrões, atenuamos o destaque de quem somos no nível da forma. Assim, quem somos além da forma emerge de maneira mais plena. Como nos tornamos menos, podemos ser mais.

Vou mencionar alguns comportamentos que as pessoas adotam inconscientemente para fortalecer sua identidade com a forma. Se você estiver alerta o bastante, será capaz de detectar alguns deles dentro de si mesmo: exigir reconhecimento por alguma coisa que fez e indignar-se ou aborrecer-se quando não o consegue; tentar obter atenção falando sobre problemas pessoais, contando a história da própria doença ou fazendo uma cena; dar uma opinião quando ninguém a pede e ela não faz diferença para a situação; ser mais preocupado com o modo como é visto pelas pessoas do que com elas, isto é, usá-las como um reflexo do ego ou como um instrumento para realçar o ego; tentar causar impressão nos outros por meio de bens, conhecimentos, boa aparência, posição social, força física, etc.; inflar temporariamente o ego adotando uma reação irada contra alguma coisa ou alguém; levar tudo para o lado pessoal e sentir-se ofendido; considerar-se certo e os outros errados por meio de queixas fúteis, mentais ou verbais; querer ser visto ou parecer importante.

Caso você detecte um desses padrões em si mesmo, sugiro que faça uma experiência. Descubra como se sente e o que ocorre se o abandonar. Simplesmente descarte-o e veja o que acontece.

Enfraquecer quem você é no nível da forma é outra maneira de gerar a consciência. Encontre o imenso poder que flui de você para o mundo deixando de fortalecer sua identificação com a forma.

O SILÊNCIO

Costuma-se dizer: "O silêncio é a linguagem de Deus, e tudo mais é tradução malfeita." O silêncio é realmente outra palavra para espaço. Ao tomarmos consciência dele quando o encontramos na nossa vida, estabelecemos uma ligação com a dimensão sem forma e eterna dentro de nós, aquela que está além do pensamento e do ego. Pode ser o silêncio que envolve o mundo da natureza, a tranquilidade do nosso quarto nas primeiras horas da manhã ou os intervalos entre os sons. O silêncio não tem forma – é por isso que, por meio do pensamento, não conseguimos ter consciência dele. O pensamento é forma. Ter consciência do silêncio significa ficar em silêncio. Ficar em silêncio é estar consciente sem pensamento. Nunca somos nós mesmos com tanta intensidade do que quando estamos em silêncio. Nessas ocasiões, somos quem fomos antes de assumir temporariamente essa forma física e mental que chamamos de pessoa. Também somos aquele que seremos depois que a forma se dissolver. Quando estamos em silêncio, somos quem somos além da nossa existência temporal: a consciência – incondicional, sem forma, eterna.

Capítulo nove

NOSSO PROPÓSITO INTERIOR

Tão logo superamos a preocupação com a mera sobrevivência, a questão do sentido e do propósito se torna de capital importância para nós. Muitas pessoas se sentem aprisionadas nas rotinas do cotidiano, que parecem privar sua vida de significado. Algumas acreditam que a vida está passando ou já passou por elas. Outras se veem profundamente limitadas pela necessidade de trabalhar e cuidar da família ou por sua condição financeira ou de vida. Há indivíduos que são devastados por um estresse agudo, enquanto outros se consomem num imenso tédio. Há quem esteja envolvido numa atividade frenética e quem se veja perdido na estagnação. Muita gente anseia pela liberdade e pelo crescimento que a prosperidade promete. Mas há pessoas que já desfrutam da relativa liberdade que acompanha a prosperidade e, mesmo assim, constatam que isso não é o bastante para dar um sentido completo à sua vida. Nada substitui a descoberta do verdadeiro propósito. No entanto, o significado genuíno, ou primário, da vida não pode ser encontrado no nível exterior. Ele não diz respeito ao que fazemos, e sim ao que somos – isto é, ao nosso estado de consciência.

Portanto, a coisa mais importante a entender é: nossa vida tem um propósito interior e um propósito exterior. O primeiro deles diz respeito a Ser e é primário. O segundo se refere a fazer e é secundário. Embora este livro trate principalmente do propósito interior, este capítulo e o seguinte indicam também como alinhar esses dois propósitos. O interior e o exterior, contudo, estão a tal ponto interligados que é quase impossível falar de um sem mencionar o outro.

Nosso propósito interior é despertar. É simples assim. Nós o compartilhamos com todas as pessoas do planeta porque esse é o propósito da humanidade. O propósito interior de cada indivíduo é uma parte essencial do propósito do todo – do universo e da sua inteligência emergente. Por outro lado, o propósito exterior pode mudar ao longo do tempo. Ele varia significativamente de pessoa para pessoa. Encontrar o propósito interior e viver alinhado com ele é o alicerce para a satisfação do propósito exterior. É a base para o verdadeiro sucesso. Sem esse alinhamento, até conseguimos alcançar determinadas metas por meio do esforço, da luta, da determinação e do puro trabalho intenso ou da esperteza e da habilidade. Mas não existe alegria nesses empreendimentos, e eles costumam acabar em alguma forma de sofrimento.

O DESPERTAR

O despertar é uma mudança no estado de consciência que ocorre com a separação entre pensamento e consciência. No caso da maioria das pessoas, isso não é um acontecimento, mas um processo pelo qual elas passam. Até mesmo aqueles raros seres que experimentam um súbito, radical e aparentemente irreversível despertar passam por um processo no qual o novo estado de consciência flui de modo gradual, transformando tudo o que eles fazem e, assim, vai se integrando à sua vida.

Em vez de ficarmos perdidos em nossos pensamentos, quando estamos despertos reconhecemos a nós mesmos como a consciência por trás deles. O pensamento deixa de ser uma atividade autônoma que se apossa de nós e conduz nossa vida. A consciência assume o controle sobre ele. O pensamento perde o domínio da nossa vida e se torna o servo da consciência, que é a ligação consciente com a inteligência universal. Outra palavra para ela é presença: consciência sem pensamento.

A iniciação do processo do despertar é um ato de graça. Não podemos fazer com que ela aconteça, nem nos preparar para ela, nem acumular méritos para alcançá-la. Não existe uma sequência precisa de passos lógicos que leve nessa direção, embora a mente fosse adorar isso. Também não precisamos nos tornar dignos primeiro. Ela pode acontecer a um pecador antes de chegar a um santo, mas não necessariamente. É por isso que Jesus se envolveu com todos os tipos de pessoas, e não só com as respeitáveis. Não existe nada que possamos fazer quanto ao despertar. Qualquer ação da nossa parte será o ego tentando acrescentar o despertar ou a iluminação a ele mesmo como seu bem mais precioso e, assim, se mostrando como mais importante e maior. Nesse caso, em vez de despertarmos, acrescentamos o *conceito* do despertar à nossa mente, ou a imagem mental de como se parece uma pessoa desperta, ou iluminada, e depois procuramos adotar esse modelo. Assumir essa imagem, seja ela criada por nós ou pelos outros, é viver sem autenticidade – outro papel inconsciente que o ego representa.

Portanto, se não existe nada que possamos fazer quanto ao despertar – independentemente de já ter acontecido ou não –, como ele pode ser o propósito primário da nossa vida? Não existe a ideia implícita de que podemos fazer alguma coisa em relação ao propósito?

Apenas o primeiro despertar, o lampejo inicial da consciência sem pensamento, acontece por graça, sem nenhum gesto da nossa parte. Se você considera este livro incompreensível ou sem significado, é porque isso ainda não lhe aconteceu. No entanto, caso algo em seu interior responda a ele – se você, de alguma forma, reconhece a verdade nele –, isso significa que o processo do despertar já está em andamento. Depois dessa etapa inicial, não poderá ser revertido, embora possa ser retardado pelo ego. No caso de algumas pessoas, esta leitura desencadeia o processo do despertar. Em relação a outras, a função deste livro é ajudá-las a reconhecer que já começaram a despertar e, assim, intensificar e acelerar esse processo. Este livro também auxilia no reconhecimento do ego sempre que ele tenta recuperar o controle e obscurecer a consciência que está surgindo. Alguns indivíduos experimentam o despertar quando, subitamente, se tornam conscientes dos tipos de pensamentos que costumam ter, sobretudo os negativos e persistentes, com os quais podem ter se identificado durante toda a vida. De repente, há uma consciência que está consciente do pensamento, mas não é parte dele.

Qual a relação entre consciência e pensamento? Consciência é o espaço em que os pensamentos existem quando esse espaço já se tornou consciente de si mesmo.

Quando temos um lampejo de consciência ou presença, reconhecemos isso de imediato. Não se trata mais de um simples conceito na nossa mente. Então, somos capazes de fazer a escolha consciente de nos manter presentes em vez de nos entregar ao pensamento inútil. Podemos convidar a presença para nossa vida, isto é, criar espaço. Com a graça do despertar vem a responsabilidade. Temos a opção de continuar em frente como se nada tivesse ocorrido ou ver a importância disso e reconhecer o despertar da consciência como a coisa mais importante que *pode* nos acontecer. Estarmos abertos à consciência emergente e atrair sua luz para o mundo torna-se então o propósito primário da nossa vida.

"Quero conhecer a mente de Deus. O resto são detalhes", disse Einstein. O que é a mente de Deus? Consciência. O que significa conhecer a mente de Deus? Estarmos conscientes. Quais são os detalhes? Nosso propósito exterior e qualquer coisa que aconteça no mundo externo.

Portanto, enquanto talvez ainda estejamos esperando que algo especial surja na nossa vida, podemos não perceber que a coisa mais importante que pode acontecer a um ser humano já ocorreu em nosso interior: o início da separação entre o pensamento e a consciência.

Muitas pessoas que estão passando pelos estágios iniciais do despertar já não sabem mais com certeza qual é seu propósito exterior. O que move o mundo não as move mais. Reconhecendo com tanta clareza a loucura da nossa civilização, elas podem se ver de certa forma alienadas da cultura ao seu redor. Algumas sentem que habitam uma terra de ninguém entre dois mundos. Elas não são mais conduzidas pelo ego, mesmo que a consciência emergente ainda não tenha se tornado plenamente integrada à sua vida. Os propósitos interior e exterior não se fundiram.

UM DIÁLOGO SOBRE O PROPÓSITO INTERIOR

O diálogo a seguir condensa uma série de conversas que tive com pessoas que estavam buscando o propósito da própria vida. Algo é verdadeiro quando faz eco ao que existe no íntimo do nosso Ser e o expressa, isto é, quando está alinhado com nosso propósito interior. É por isso que, primeiro, dirijo a atenção delas para seu propósito interior e primário.

～

Não sei exatamente o que seria, mas desejo uma mudança na minha vida. Quero crescer, fazer alguma coisa significativa e, sim, almejo a prosperidade e a liberdade que ela traz. Tenho vontade de realizar algo importante, uma coisa que faça diferença no mundo. Mas, se você me perguntar o que é isso, não sei dizer. Você pode me ajudar a descobrir o propósito da minha vida?

Seu propósito é se sentar aqui e conversar comigo, porque é onde você está e é o que está fazendo. Até que se levante e se ocupe de outra coisa. Então aquilo se tornará seu propósito.

~

Então meu propósito é me sentar no meu escritório pelos próximos 30 anos até me aposentar ou ser posto para fora?
Você não está no seu escritório agora, portanto esse não é seu propósito. Quando você se senta lá e faz qualquer coisa que seja, esse é seu propósito. Não para os próximos 30 anos, mas naquele momento.

~

Acho que existe um mal-entendido neste caso. Para você, propósito corresponde ao que estou fazendo agora, enquanto para mim significa ter um objetivo global na vida, algo grande e importante que dê sentido ao que eu realizo, alguma coisa que faça diferença. E isso não é ficar lidando com papéis no escritório. Eu sei disso.
Enquanto estiver inconsciente do Ser, você buscará o significado apenas dentro da dimensão do fazer e no futuro, ou seja, na dimensão do tempo. E qualquer coisa significativa ou satisfatória que encontre vai se dissolver ou se revelar uma decepção. Provavelmente, será destruída pelo tempo. Todo sentido que descobrimos nesse nível só é verdadeiro de modo relativo e temporário.

Por exemplo, se cuidar dos seus filhos dá sentido à sua vida, o que acontecerá com esse significado quando eles não precisarem mais de você e talvez nem sequer o escutem mais? Se ajudar as pessoas dá significado à sua vida, você depende do fato de que elas sejam piores do que você para que sua vida continue a ter sentido e você possa se sentir bem em relação a si mesmo. Suponha que o desejo de ser bem-sucedido ou o melhor em determinada atividade lhe proporcione significado. O que acontecerá se você nunca conseguir vencer ou se seu sucesso acabar um dia? Terá que recorrer à sua imaginação ou às lembranças –

coisas muito insatisfatórias para dar sentido à sua vida. "Sair-se bem" em qualquer campo só terá valor se existirem milhares ou milhões de outros indivíduos que não consigam ter êxito. Portanto, você precisará que outros seres humanos "fracassem" para que sua vida possa ter significado.

Não estou dizendo que ajudar os outros, cuidar dos filhos e se esforçar para ser o melhor numa área sejam coisas que não valham a pena. Para muitas pessoas, elas são uma parte importante do seu propósito exterior, porém esse propósito sozinho é sempre relativo, instável e transitório. Em todo caso, isso não quer dizer que você não deva se envolver nessas atividades, mas que precisa ligá-las a seu propósito primário, interior, para que um sentido profundo flua para aquilo que você faz.

Se você vive sem estar alinhado com seu propósito primário, qualquer que seja o propósito que estabeleça para sua vida, até mesmo o de criar o Céu na Terra, será propriedade do ego ou acabará destruído pelo tempo. Cedo ou tarde, ele levará ao sofrimento. Caso você ignore seu propósito interior, não importa o que faça, mesmo que seja algo aparentemente espiritual, o ego vai se instalar no modo *como* você o executa, e assim o meio corromperá o fim. O dito "O caminho para o inferno é pavimentado com boas intenções" aponta para essa verdade. Em outras palavras, nem seus objetivos nem suas ações são primários, somente o estado de consciência que os acompanha. A satisfação do propósito primário estabelece a base para uma nova realidade, uma nova Terra. Depois que esse alicerce passa a existir, seu propósito exterior se torna carregado de poder espiritual porque seus objetivos e suas intenções estarão unidos ao impulso evolucionário do universo.

A separação entre o pensamento e a consciência, que está no centro do seu propósito primário, acontece através da negação do tempo. Não estou falando, é claro, do tempo usado para fins práticos, como marcar uma consulta. Não se trata do tempo do relógio, mas do tempo psicológico, que é o hábito arraigado da mente de buscar a plenitude da vida no futuro, onde não pode ser encontrada, e ignorar o único ponto de acesso a ela: o momento presente.

Quando vê aquilo que está fazendo ou o lugar em que está como o propósito principal da sua vida, você nega o tempo. Isso lhe dá um poder imenso. A negação do tempo naquilo que está sendo realizado também fornece a ligação entre seus propósitos interior e exterior, entre ser e fazer. Sempre que nega o tempo, você nega o ego. Não importa a atividade que esteja executando, você a desenvolverá extraordinariamente bem porque o fazer em si passa a ser o ponto focal da sua atenção. Sua ação se torna então um canal pelo qual a consciência entra no mundo. Isso significa que existe qualidade no que você faz, mesmo no ato mais simples, como virar as páginas do catálogo telefônico ou atravessar a sala. O propósito principal de virar as páginas é virar as páginas; o propósito secundário é encontrar um número de telefone. O propósito principal de atravessar a sala é atravessar a sala; o propósito secundário é apanhar um livro na outra extremidade – e, no instante em que você o pega, isso se torna seu propósito principal.

Você deve estar lembrado do paradoxo do tempo que mencionei: qualquer coisa que façamos requer tempo; ainda assim, é sempre agora. Então, enquanto seu propósito interior é negar o tempo, seu propósito exterior envolve necessariamente o futuro e, assim, este último não poderia existir sem o tempo. Mas ele é sempre secundário. Toda vez que você fica ansioso ou estressado, isso mostra que o propósito exterior assumiu o controle e que você perdeu o propósito interior de vista. Terá se esquecido de que seu estado de consciência é primário, e todo o resto, secundário.

Viver assim não me impediria de pretender alcançar algo importante? Meu medo é passar o resto da vida fazendo coisas pequenas, atividades que não têm nenhuma relevância. Tenho receio de jamais superar a mediocridade, de nunca ousar conquistar algo grandioso, de não satisfazer meu potencial.

Aquilo que é notável surge das pequenas coisas que são dignificadas e tratadas com atenção. A vida de todos nós consiste, sem dúvida, em pequenas coisas. A grandiosidade é uma abstração mental e a fantasia favorita do ego. O paradoxo é que a base para alcançá-la é o respeito pelas pequenas coisas do momento presente, e não a perseguição da ideia de grandeza. O momento presente é sempre pequeno no sentido de que é simples, mas, escondido dentro dele, está o poder maior. Assim como o átomo, ele é uma das menores coisas, no entanto é extraordinariamente poderoso. Nós só temos acesso a esse poder quando nos alinhamos com o momento presente. Talvez seja mais apropriado dizer que ele tem acesso a nós e, por nosso intermédio, ao mundo. Jesus estava se referindo a esse poder quando afirmou: "De mim mesmo não posso fazer coisa alguma" e "Não credes que estou no Pai e que o Pai está em mim? As palavras que vos digo não as digo de mim mesmo; mas o Pai, que permanece em mim, é que realiza as suas próprias obras".[1] Ansiedade, tensão contínua e negativismo nos tiram essa força. A ilusão de que estamos separados do poder que conduz o universo retorna. Outra vez nos sentimos sozinhos, lutando contra algo ou tentando alcançar um objetivo qualquer. Contudo, o que desencadeou a ansiedade, a tensão ou o negativismo? Nosso afastamento do momento presente. E por que fizemos isso? Porque pensamos que outra coisa era mais importante. Acabamos por nos esquecer do propósito primário. Um pequeno erro, uma interpretação equivocada... um mundo de sofrimento.

O momento presente garante nosso acesso ao poder da vida propriamente dito, aquele que tem sido chamado de "Deus". Assim que nos distanciamos dele, Deus para de ser uma realidade para nós e tudo o que nos resta é o *conceito* mental de Deus, algo em que algumas pessoas acreditam, mas que é negado por outras. Até mesmo a crença Nele não passa de um precário substituto da Sua realidade viva que se manifesta a cada momento na nossa vida.

~

A total harmonia com o momento presente não requer a cessação de todo movimento? Sendo assim, talvez a existência de qualquer meta implique uma ruptura temporária dessa harmonia com o momento presente e seu restabelecimento num nível superior ou mais complexo depois que o objetivo é alcançado. Imagino que nem o broto que cresce a partir do solo se mantém inteiramente alinhado com o momento presente porque ele tem uma meta: quer se tornar uma árvore. Pode ser que depois de atingir a maturidade ele viva em harmonia com o momento presente.

O broto não quer nada porque ele e a totalidade são uma coisa só, e a totalidade age por meio dele. "... Considerai como crescem os lírios do campo; não trabalham nem fiam. Entretanto, eu vos digo que o próprio Salomão, no auge de sua glória, não se vestiu como um deles."[2] Poderíamos dizer que a totalidade – a Vida – *quer* que o broto se torne uma árvore, no entanto ele não se vê separado da vida e, assim, não deseja nada para si. O broto e o que a Vida quer estão unificados. É por isso que ele não está preocupado nem estressado. E, se tiver que morrer prematuramente, morrerá com tranquilidade. Será tão resignado na morte quanto foi na vida. Ele sente, por mais obscuro que isso pareça, que está enraizado no Ser, a Vida Única sem forma e eterna.

Assim como os antigos sábios taoistas da China, Jesus gosta de chamar nossa atenção para a natureza porque a vê sob a ação de uma força com a qual as pessoas perderam contato – o poder criativo do universo. Ele prossegue dizendo que, se Deus veste simples flores com tamanha beleza, então podemos imaginar que Ele nos vestirá com muito mais. Ou seja, embora a natureza seja uma maravilhosa expressão do impulso evolucionário do universo, quando os seres humanos se tornam alinhados com a inteligência que está por trás deles, manifestam esse mesmo impulso num nível superior e ainda mais esplendoroso.

Portanto, seja verdadeiro em relação à vida sendo verdadeiro em relação ao seu propósito interior. Quando você se torna presente e, portanto, permanece por inteiro naquilo que faz, suas ações ficam carregadas de energia espiritual. A princípio, pode não haver uma mudança notável no que você realiza, mas apenas no seu modo de execução. Seu propósito primário agora é permitir que a consciência penetre no que você faz. O propósito secundário é tudo o que você alcançar por meio do fazer. Se antes a noção de propósito estava sempre associada ao futuro, agora existe um propósito mais profundo que só pode ser encontrado no presente, pela negação do tempo.

Quando se encontrar com as pessoas, no trabalho ou em qualquer outro lugar, dê a elas o máximo de atenção. Você já não estará ali como um indivíduo, e sim como um campo de consciência, de presença alerta. O motivo original da sua interação com o outro – comprar ou vender alguma coisa, pedir ou dar informações, por exemplo – é agora secundário. O campo de consciência que se forma entre vocês se estabelece como o propósito primário da interação. Esse espaço de consciência adquire uma relevância muito maior do que qualquer assunto sobre o qual vocês possam estar falando e do que os objetos físicos ou imaginados. O *Ser* humano passa a ser mais importante do que as coisas deste mundo. Isso não significa que você vá se descuidar do que precisa ser feito no nível prático. Na verdade, a execução das coisas não só fica mais fácil como se desenrola com mais energia quando a dimensão do Ser é reconhecida e, assim, se torna primária. O surgimento desse campo unificado de consciência entre as pessoas é o fator essencial dos relacionamentos na nova Terra.

~

A noção de sucesso é apenas uma ilusão do ego? Como podemos medir o verdadeiro sucesso?

O mundo lhe dirá que o sucesso é alcançar o que você se propôs fazer. E isso o fará crer que o sucesso é vencer, que o reconhecimento e/ou a prosperidade são ingredientes essenciais do êxito. No entanto, todos ou alguns desses conceitos costumam ser apenas subprodutos do sucesso. A noção convencional do sucesso refere-se ao resultado daquilo que fazemos. Alguns dizem que ele é o efeito de uma combinação de muito trabalho e sorte, de determinação e talento ou de estarmos no lugar certo na hora certa. Embora esses elementos possam ser fatores determinantes do sucesso, eles não são sua essência. O que o mundo não lhe diz – porque ele não sabe – é que você não pode se *tornar* alguém bem-sucedido. Você só pode ser bem-sucedido. Não permita que um mundo louco lhe diga que o sucesso é alguma coisa diferente de um momento presente pleno de êxito. E o que é isso? Existe um sentido de qualidade no que você faz, até mesmo no gesto mais simples. Qualidade pressupõe cuidado e atenção, elementos que acompanham a consciência. A qualidade requer sua presença.

Digamos que você seja um empresário e que, depois de dois anos de muita tensão e preocupações, finalmente consegue oferecer um produto ou serviço que vende bem e dá lucro. Sucesso?

Em termos convencionais, sim. Mas, na realidade, você passou dois anos poluindo seu corpo, assim como a Terra, com energia negativa, causou sofrimento a si mesmo e às pessoas ao seu redor e afetou muita gente que nem sequer chegou a conhecer. O pressuposto inconsciente por trás de toda ação desse tipo é que o sucesso é um acontecimento do futuro e que o fim justifica os meios. Contudo, o fim e os meios são uma coisa só. E, se os meios não contribuírem para a felicidade humana, tampouco o fim fará isso. O resultado, que é inseparável dos atos que o tornaram possível, já está contaminado por eles e, assim, criará mais infelicidade. Isso é ação cármica, que é a perpetuação inconsciente da infelicidade.

Como você já sabe, seu propósito secundário, ou exterior, situa-se na dimensão do tempo, enquanto seu propósito principal é inseparável do Agora e, portanto, requer a negação do tempo. Como eles podem ser reconciliados? Compreendendo que a jornada de toda a sua vida consiste, em última análise, no passo que você está dando no momento presente. Dessa forma, dirigirá a ele sua máxima atenção. Isso não significa que você não saiba aonde pretende chegar, mas apenas que esse passo é primário, enquanto seu destino é secundário. E aquilo que você vai encontrar quando alcançar seu destino dependerá da qualidade desse primeiro passo. Outra maneira de considerar esse ponto: o que o futuro lhe reserva é fruto do seu estado de consciência agora.

O sucesso ocorre quando o fazer é investido da qualidade perene do Ser. A menos que o Ser flua para o fazer, a não ser que esteja presente, você se perde em qualquer coisa que faça. E também no pensamento, assim como nas suas reações ao que acontece externamente.

O que você quer dizer exatamente com "você se perde"?
A essência de quem nós somos é a consciência. Quando ela (você) estabelece uma completa identificação com o pensamento e assim se esquece da sua natureza essencial, acaba se perdendo no pensamento. Toda vez que se identifica com as formações mentais e emocionais, como o desejo e o temor – as forças motivadoras primárias do ego –, ela desaparece nessas formações. Isso também ocorre sempre que a consciência se identifica com a ação e a reação ao que acontece. Todos os pensamentos, desejos e medos, bem como todas as ações e reações, são então impregnados de um falso sentido do eu que, por ser incapaz de sentir a alegria simples do Ser, busca o prazer e, algumas vezes, até mesmo a dor, como substitutos desse contentamento. Isso é viver num estado de esquecimento do Ser, de quem nós somos. Assim, todo sucesso não é mais do que uma ilusão passageira. Não importa o que conquistemos, logo estaremos infelizes outra vez ou um novo problema ou dilema absorverá nossa atenção inteiramente.

~

De que maneira eu passo da compreensão do meu propósito interior para a descoberta do que devo fazer no nível exterior?
O propósito exterior varia significativamente de pessoa para pessoa e nunca dura para sempre. Ele é submetido ao tempo e depois é substituído por outro propósito. A extensão em que as circunstâncias externas da vida são modificadas pela dedicação ao propósito interior do despertar também varia bastante. No caso de alguns indivíduos ocorre um rompimento repentino ou gradual com o passado. Seu trabalho, sua condição de vida, seus relacionamentos, tudo isso passa por uma profunda transformação. Às vezes, eles próprios dão início a certas mudanças que, em vez de envolverem um doloroso processo de tomada de decisão,

surgem de uma compreensão ou de um reconhecimento súbito: "é isto que eu preciso fazer". É como se suas decisões fossem, digamos, pré-fabricadas. Elas chegam através da consciência, e não do pensamento. A pessoa acorda numa manhã e sabe o que fazer. Há quem se surpreenda abandonando um ambiente de trabalho ou uma condição de vida hostil e sem sentido. Assim, antes de descobrir o que é certo para você no nível exterior, de detectar o que funciona, o que é compatível com a consciência desperta, talvez você precise identificar o que não está correto, o que já não produz efeito, o que não se harmoniza com seu propósito interior.

Outros tipos de mudança podem lhe acontecer de repente a partir do exterior. Um encontro casual traz uma nova oportunidade e uma possibilidade de expansão para sua vida. Um obstáculo ou conflito de longa data se dissolvem. Seus amigos ou passam por essa transformação interior com você ou desaparecem da sua vida. Alguns relacionamentos terminam, outros se aprofundam. Você pode ser demitido da empresa ou se tornar um agente de mudanças positivas no local de trabalho. Seu cônjuge o deixa ou vocês chegam a um novo nível de intimidade. Alguns desses fatos talvez pareçam negativos na superfície, porém você logo compreende que um espaço está sendo criado na sua vida para o surgimento de algo novo.

Poderá haver um período de insegurança e incerteza. "O que eu devo fazer?" Como o ego deixou de controlar sua vida, a necessidade psicológica de segurança externa, que é ilusória de qualquer maneira, diminui. Você se torna capaz de viver com a incerteza e até de gostar dela. Com isso, infinitas possibilidades se abrem à sua frente. Isso mostra que o medo já não é um fator dominante no que você faz e não o impede mais de tomar atitudes para iniciar a mudança. O filósofo romano Tácito observou com toda a propriedade que "o desejo de segurança é um obstáculo a todo grande e nobre empreendimento". Se a incerteza é inaceitável para você, ela se transforma em medo. Caso seja perfeitamente aceitável, ela vai aumentando aos poucos sua animação, seu estado de alerta e sua criatividade.

Muitos anos atrás, seguindo um forte impulso interior, abandonei uma carreira acadêmica que o mundo teria chamado de "promissora" e, assim, ingressei na mais completa incerteza. Disso se originou minha nova encarnação como mestre espiritual tempos depois. Algo semelhante aconteceu de novo bem mais tarde. Também por causa de um impulso, abandonei minha casa na Inglaterra e me mudei para a Costa Oeste dos Estados Unidos. Obedeci a esse impulso, embora desconhecesse sua razão. Dessa opção pela incerteza surgiu meu livro *O poder do Agora*, que em sua maior parte foi escrito na Califórnia e em British Columbia, no Canadá. Nessa época, eu não tinha casa própria nem recebia salário, vivia de economias, que foram se esgotando com a maior rapidez. Na verdade, tudo se encaixou maravilhosamente. Fiquei sem dinheiro no exato momento em que estava acabando de escrever o livro. Comprei um bilhete de loteria e ganhei mil dólares, o que me garantiu o sustento por mais um mês.

Nem todas as pessoas, porém, passam por uma mudança tão drástica no que diz respeito às circunstâncias externas. Na outra extremidade do espectro há indivíduos que permanecem exatamente onde estão e continuam fazendo a mesma coisa de sempre. Para eles, apenas o *como* muda, e não o *quê*. E não por medo ou inércia. O que eles estão realizando já é um veículo perfeito para a consciência entrar no mundo, e ela não precisa de outro. Essas pessoas também contribuem para a manifestação da nova Terra.

∼

Isso não deveria acontecer com todo mundo? Se satisfazer nosso propósito interior é estarmos alinhados com o momento presente, por que alguém deveria sentir necessidade de abandonar seu trabalho ou sua condição de vida atual?

Estar alinhado com o que *é* não significa que a pessoa não vá iniciar a mudança nem que se torne incapaz de agir. A motivação para tomar atitudes, no entanto, vem de um nível mais profundo, e não do desejo nem do medo próprios do ego. O ajuste interior com o momento presente abre a consciência e a coloca em sintonia com o todo, do qual o Agora é parte integrante. O todo, a totalidade da vida, entra assim em ação por intermédio do indivíduo.

～

O que você quer dizer com o todo?

Por um lado, o todo compreende tudo o que existe. É o mundo ou o cosmo. Entretanto, todas as coisas existentes, dos micróbios aos seres humanos e às galáxias, não são realmente coisas, ou entidades separadas – elas constituem parte de uma teia de processos multidimensionais interligados.

Nós não reconhecemos essa unidade, isto é, só vemos as coisas como elementos isolados. Isso ocorre por duas razões. Uma delas é a percepção, que reduz a realidade àquilo a que temos acesso por meio da pequena extensão dos nossos sentidos: o que podemos ver, ouvir, cheirar, provar e tocar. No entanto, quando somos capazes de perceber sem interpretar ou rotular mentalmente, ou seja, sem acrescentar o pensamento às percepções, conseguimos sentir de fato a interconexão mais profunda sob a percepção da aparente separação das coisas.

A outra razão mais séria para a ilusão da separação é o pensamento compulsivo. Quando estamos presos a fluxos incessantes de pensamento compulsivo, de fato o universo se desintegra para nós e perdemos a capacidade de sentir a interconexão entre tudo o que existe. O pensamento desmembra a realidade em fragmentos sem vida. Dessa visão fracionada se originam ações extremamente insensatas e destrutivas.

Entretanto, existe um nível ainda mais profundo do todo que é a interconexão de tudo o que existe. Nele todas as coisas são uma só. Isso é a Origem, a Vida não manifestada. É a inteligência infinita que se expressa como um universo se desdobrando no tempo.

O todo é constituído da existência e do Ser, o manifestado e o não manifestado, o mundo e Deus. Assim, ao nos alinharmos com o todo, nos tornamos uma parte consciente da sua interconexão e do seu propósito: o surgimento da consciência no mundo. Por causa disso, incidentes favoráveis, encontros casuais, coincidências e acontecimentos sincrônicos ocorrem com muito mais frequência. Carl Jung chamou a sincronicidade de "princípio não causal de conexão". Isso significa que não existe ligação causal entre eventos sincrônicos no nível superficial da realidade. Trata-se de uma manifestação exterior de uma inteligência subjacente por trás do mundo das aparências e de uma conectividade mais profunda que nossa mente não é capaz de entender. Mas podemos ser participantes conscientes do desdobramento dessa inteligência, a consciência florescente.

A natureza existe num estado de unificação inconsciente com o todo. Foi por isso, por exemplo, que praticamente nenhum animal selvagem morreu durante o catastrófico tsunami de 2004. Como eles estão mais em contato com a totalidade do que os seres humanos, conseguiram sentir a aproximação da onda muito tempo antes de ela ser vista ou ouvida e, assim, tiveram chance de se deslocar para um terreno mais elevado. É provável que eles tenham apenas se visto partindo para um lugar mais alto.

Fazer *isto* por causa *daquilo* é o modo como a mente humana fragmenta a realidade, enquanto a natureza vive na unificação inconsciente com o todo. É nosso propósito e destino trazer uma nova dimensão para este mundo vivendo no estado de unificação consciente com a totalidade e num alinhamento consciente com a inteligência universal.

~

O todo pode usar a mente humana para criar coisas ou produzir situações que estão alinhadas com seu propósito?

Sim, sempre que existe inspiração, que significa "em espírito", e entusiasmo, que quer dizer "em Deus", está em ação um poder criativo que vai muito além do que uma simples pessoa é capaz.

Capítulo dez

UMA NOVA TERRA

Os astrônomos descobriram evidências para sugerir que o universo começou a existir 15 bilhões de anos atrás numa explosão gigantesca e que vem se expandindo desde então. Além disso, sua complexidade está aumentando, o que o torna cada vez mais diferenciado. Alguns cientistas postulam também que esse movimento da unidade para a multiplicidade acabará se revertendo. O universo vai parar de se expandir e começará a se contrair outra vez até, finalmente, retornar ao não manifestado, à condição do nada de onde veio – e talvez repita os ciclos de nascimento, expansão, contração e morte por vezes seguidas. Com que propósito? "Afinal, por que o universo se dá a todo esse trabalho de existir?", pergunta o físico Stephen Hawking, compreendendo, ao mesmo tempo, que nenhum modelo matemático jamais poderia fornecer a resposta.

Se olharmos para dentro e não apenas para fora, porém, descobriremos que possuímos um propósito interior e outro exterior. E, como somos um reflexo microcósmico do macrocosmo, podemos admitir que o universo também tem um propósito interior e outro exterior inseparáveis dos nossos. Seu propósito exterior é criar formas e vivenciar sua interação – o sonho, o jogo, a encenação, seja lá como for que você prefira chamar isso. Seu propósito interior é despertar para sua própria essência sem forma. Em seguida, vem a reconciliação entre os propósitos exterior e interior: levar essa essência – consciência – para o universo das formas e, desse modo, transformar o mundo. O propósito supremo dessa mudança vai muito além de tudo o que a mente humana consegue imaginar ou compreender. E, ainda assim, neste planeta, neste momento, essa transformação é a tarefa que nos cabe. Ou seja, é a harmonização dos dois propósitos, exterior e interior – do mundo com Deus.

Antes de considerarmos a relevância que a expansão e a contração do universo têm sobre nossa vida pessoal, precisamos ter em mente que nada que é dito sobre a natureza do universo deve ser considerado como verdade absoluta. Nem os conceitos nem as fórmulas matemáticas podem explicar o infinito. Nenhum pensamento é capaz de conter a vastidão da totalidade. A realidade é um todo unificado, entretanto o pensamento a divide em fragmentos. Isso causa erros básicos de interpretação – por exemplo, de que existem coisas e acontecimentos separados ou que *isto* é a causa *daquilo*. Todo pensamento pressupõe uma perspectiva, enquanto toda perspectiva, pela sua própria natureza, implica limitação, o que, em última análise, significa que não é verdadeira, pelo menos não absolutamente. Apenas o todo é verdadeiro, porém o todo não pode ser expresso em palavras nem em pensamentos. De uma perspectiva distante das limitações do pensamento e, portanto, incompreensível à mente humana, tudo está acontecendo agora. Tudo o que sempre foi ou o que será existe agora, fora do tempo, que é uma construção mental.

Como exemplo de verdade relativa e absoluta, considere o nascer e o pôr do sol. Quando dizemos que o Sol nasce de manhã e se põe ao entardecer, isso é verdade, porém apenas relativamente. Em termos absolutos, é falso. Somente da limitada perspectiva de um observador que esteja na superfície da Terra ou próximo a ela é que o Sol nasce e se põe. Se ele estivesse distante no espaço, veria que o Sol não faz uma coisa nem outra, mas que brilha sem parar. No entanto, mesmo depois de compreendermos isso, podemos continuar a nos referir ao nascer e ao pôr do sol, a apreciar sua beleza, a pintá-los, a escrever poemas sobre eles, embora agora saibamos que essa é uma verdade relativa, e não absoluta.

Assim, vou me estender por um momento sobre outra verdade relativa: a constituição da forma do universo e seu retorno ao estado sem forma, o que pressupõe a perspectiva limitada do tempo, e observar que relevância isso tem sobre nossa vida pessoal. O conceito "minha própria vida" é, evidentemente, outra perspectiva limitada pelo pensamento, mais uma verdade relativa. Em última análise, não existe nada como "minha", "sua" ou "nossa" vida, uma vez que nós e a vida não estamos separados, somos um.

UMA BREVE HISTÓRIA DA NOSSA VIDA

A ida do mundo em direção à sua forma manifestada e seu retorno ao não manifestado – sua expansão e contração – são dois movimentos universais que podemos chamar de a saída de casa e a volta ao lar. Ambos se refletem em todo o universo de muitas maneiras, como na incessante expansão e contração do coração, assim como nos atos contínuos de inspirar e expirar. Também se revelam nos ciclos do sono e da vigília. Toda noite, sem sabermos, retornamos para a Origem não manifestada de toda a vida quando entramos no estágio do sono profundo, sem sonhos, e depois, revigorados, ressurgimos pela manhã.

Esses dois movimentos, a saída e o retorno, estão também espelhados nos ciclos de vida de cada pessoa. A partir do nada, por assim dizer, "nós" de repente aparecemos neste mundo. O nascimento é seguido da expansão. Esse crescimento não é apenas físico – há também a ampliação do conhecimento, das atividades, dos bens, das experiências. Nossa esfera de influência se alarga e a vida se torna cada vez mais complexa. Esse é o momento em que estamos especialmente preocupados em encontrar ou perseguir nosso propósito exterior. Em geral, há um aumento correspondente do ego, que é a identificação com todas aquelas coisas que mencionei. Com isso, a identidade da nossa forma torna-se cada vez mais definida. Esse é ainda o período em que o propósito exterior – o crescimento – costuma ser usurpado pelo ego, que, ao contrário da natureza, não sabe quando parar na sua busca por expansão e tem um apetite voraz por *mais*.

Assim, justamente quando pensamos que conseguimos o que queremos ou que pertencemos a este lugar, o movimento de retorno começa. Talvez as pessoas próximas a nós, as que fazem parte do nosso mundo, comecem a morrer. Nossa forma física se enfraquece, nossa esfera de influência encolhe. Em vez de nos tornarmos mais, passamos a ser menos, e o ego reage a isso com crescente ansiedade ou depressão. É o início do movimento de contração do nosso mundo, e podemos achar que não temos mais o controle sobre ele. Em vez de agirmos sobre a vida, agora é ela que age sobre nós, reduzindo pouco a pouco nosso mundo. A consciência que se identificava com a forma está vivenciando o ocaso, a dissolução da forma. Então, um dia, nós também desaparecemos. Nossa poltrona continua no lugar. Porém, já não nos sentamos mais nela – ali existe somente um espaço vazio. Voltamos para o lugar de onde partimos apenas alguns anos antes.

A vida de cada pessoa – de cada forma de vida, na verdade – representa um mundo, um modo exclusivo pelo qual o universo sente a si mesmo. E, quando nossa forma se dissolve, um mundo chega ao fim – um dos incontáveis mundos.

O DESPERTAR E O MOVIMENTO DE RETORNO

O movimento de retorno na vida de uma pessoa, o enfraquecimento ou a dissolução da forma, seja por meio do envelhecimento, da doença, da incapacidade, da perda ou de algum tipo de tragédia pessoal, contém um grande potencial para o despertar espiritual – o rompimento da identificação da consciência com a forma. Considerando o fato de que não há muita verdade espiritual na cultura contemporânea, poucas são as pessoas que reconhecem esses eventos como uma oportunidade. Assim, quando eles acontecem com elas ou com alguém próximo, sua crença é de que existe algo terrivelmente errado, alguma coisa que não deveria estar ocorrendo.

Na nossa civilização existe um profundo desconhecimento da condição humana. E, quanto mais ignorantes somos em termos espirituais, mais sofremos. Para um grande número de pessoas, sobretudo no Ocidente, a morte não passa de um conceito abstrato. Assim, elas não fazem ideia do que acontece com a forma humana quando ela se aproxima da dissolução. Muitos indivíduos debilitados e velhos são trancafiados em asilos. Os cadáveres, que, em algumas culturas mais antigas, permanecem em exibição para que todos os vejam, são escondidos. Nos Estados Unidos e em outros países desenvolvidos, quem tenta ver um cadáver descobre que isso é virtualmente ilegal, a não ser que o morto seja seu parente próximo. Nas casas funerárias chega-se a maquiar o rosto dos defuntos. Só nos permitem ver uma versão limpa e bem-arrumada da morte.

Uma vez que a morte é apenas um conceito abstrato para essas pessoas, a maioria delas está totalmente despreparada para a dissolução da sua própria forma. Quando esse momento se aproxima, há choque, incompreensão, desespero e grande medo. Nada mais faz sentido porque, para elas, todo o significado, todo o propósito da vida estava associado a acumular, ter sucesso, construir, proteger e sentir-se gratificado. Ele estava vinculado ao movimento de saída e à identificação com a forma, isto é, com o ego. A maior parte dos seres humanos não é capaz de ver nenhum sentido quando sua vida, seu mundo, está sendo demolido. Mesmo assim, esse momento contém um significado potencialmente ainda mais profundo do que o movimento de saída.

É precisamente com a chegada da velhice, com a vivência de uma perda ou de uma tragédia pessoal que a dimensão espiritual entra na vida das pessoas. Ou seja, seu propósito interior só aparece quando seu propósito exterior entra em colapso e a concha do ego começa a rachar. Esses acontecimentos representam o início do movimento de retorno em direção à dissolução da forma. Nas culturas mais antigas, deve ter havido uma compreensão intuitiva desse processo, e é por isso que os idosos eram respeitados e reverenciados. Eles eram os repositórios da sabedoria e ofereciam a dimensão da profundidade, sem a qual nenhuma civilização pode sobreviver por muito tempo. Na nossa cultura, que é totalmente identificada com o exterior e desconhece a dimensão interior do espírito, a palavra "velho" tem muitas conotações negativas, como obsoleto ou ultrapassado. Assim, consideramos quase um insulto chamar alguém de velho. Para evitar isso, usamos eufemismos como idoso ou antigo. Por que os velhos são considerados obsoletos? Porque na velhice a ênfase muda do fazer para o Ser, e nossa civilização, que está perdida no fazer, não sabe nada do Ser. Ela pergunta: "Ser? O que se faz com isso?"

No caso de algumas pessoas, o movimento de saída, do crescimento e da expansão, é interrompido de modo radical pela chegada aparentemente prematura do movimento de retorno, a dissolução da forma. Às vezes é uma suspensão temporária; outras vezes, permanente. Acreditamos que as crianças não deveriam ter que encarar a morte, no entanto o fato é que algumas delas têm que enfrentar o falecimento de um dos pais ou de ambos em razão de uma doença ou de um acidente – ou até mesmo a possibilidade da sua própria morte. Existem crianças que nascem com deficiências que impõem uma restrição severa à expansão natural da sua vida. Assim como há pessoas que se veem diante de uma limitação grave quando ainda têm pouca idade.

A interrupção do movimento de saída num momento em que isso "não deveria acontecer" também tem potencial para desencadear o despertar espiritual prematuro de uma pessoa. Afinal de contas, não acontece nada que não deva acontecer, isto é, tudo o que ocorre faz parte do todo maior e do seu propósito. Assim, a destruição, ou a ruptura, do propósito exterior pode levar uma pessoa a descobrir seu propósito interior e, em seguida, um propósito exterior mais profundo que esteja alinhado com o interior. As crianças que passam por muito sofrimento costumam se transformar em adultos jovens mais amadurecidos para sua idade.

O que perdemos no nível da forma ganhamos no nível da essência. Na figura tradicional do "profeta cego" ou do "curandeiro aleijado" das culturas e lendas antigas, uma grande perda ou incapacidade no nível da forma converte-se numa abertura para o espírito. Quando alguém tem uma experiência direta da natureza instável de todas as formas, provavelmente nunca mais vai supervalorizar a forma e, assim, se perder por sua busca cega ou vincular-se a ela.

A cultura contemporânea está apenas começando a reconhecer a oportunidade que a dissolução da forma, sobretudo a velhice, representa. Em relação à maioria das pessoas, essa chance ainda é tragicamente ignorada porque o ego se identifica com o movimento de retorno da mesma maneira como se identifica com o movimento de saída. O resultado disso é um endurecimento da concha egoica, uma contração em vez de uma abertura. O ego diminuído passa o resto dos seus dias se lamentando ou se queixando, preso ao medo ou à raiva, à autopiedade, à culpa, a acusações ou a outros estados negativos mentais e emocionais ou a estratégias evasivas, como se apegar a lembranças e falar e pensar sobre o passado.

Quando o ego não está mais identificado com o movimento de retorno da vida de uma pessoa, a velhice ou a proximidade da morte torna-se o que se destina a ser: uma abertura para o reino espiritual. Conheci idosos que eram personificações vivas desse processo. Eles haviam se tornado radiantes. A forma do seu despertar se tornara transparente à luz da consciência.

Na nova Terra, a velhice será universalmente reconhecida e valorizada como um período para o florescimento da consciência. Para aqueles que ainda estiverem perdidos nas circunstâncias externas da vida, será o momento de uma volta ao lar tardia, quando irão despertar para seu propósito interior. No caso de outras pessoas, representará a intensificação e o auge do processo do despertar.

O DESPERTAR E O MOVIMENTO DE SAÍDA

A expansão natural da vida de uma pessoa, que ocorre junto com o movimento de saída, em geral é usurpada pelo ego e usada para sua própria expansão. "Veja o que eu sou capaz de fazer. Duvido que você consiga fazer isso", diz uma criança a outra quando descobre que seu corpo está ficando mais forte e ágil. Essa é uma das primeiras tentativas do ego de se destacar pela identificação com o movimento para fora e com o conceito "mais do que você" e se fortalecer pela diminuição dos outros. É claro que isso é apenas o começo dos seus muitos erros de percepção.

Entretanto, à medida que nossa consciência aumenta e o ego deixa de controlar nossa vida, não temos que esperar até que nosso mundo encolha ou entre em colapso por causa da velhice ou de uma tragédia pessoal para despertarmos para o propósito interior. Como a nova consciência está começando a surgir no planeta, é cada vez maior o número de pessoas que já não precisam ser sacudidas para despertar. Elas abraçam esse processo de modo voluntário até mesmo enquanto ainda estão envolvidas no ciclo de crescimento e expansão. Quando esse ciclo deixar de ser usurpado pelo ego, a dimensão espiritual entrará tão poderosamente no mundo através do movimento de saída – pensamento, fala, ação, criação – quanto por meio do movimento de retorno – silêncio, Ser e dissolução da forma.

Até agora, a inteligência humana, que não é mais do que um aspecto minúsculo da inteligência universal, tem sido distorcida e mal-empregada pelo ego. Chamo isso de "inteligência a serviço da loucura". A fissão nuclear requer uma inteligência superior. Usar essa inteligência para fabricar e estocar bombas nucleares é loucura ou, na melhor das hipóteses, uma estupidez extrema. A estupidez em si até pode ser inofensiva, porém a estupidez inteligente é extremamente perigosa. Ela está ameaçando nossa sobrevivência como espécie, e há incontáveis exemplos óbvios disso.

Quando livre do desajuste provocado pelo distúrbio egoico, a inteligência entra em pleno alinhamento com o ciclo de saída da inteligência universal e seu impulso para criar. Passamos a ser participantes conscientes da geração da forma. Os criadores não somos nós, e sim a inteligência universal, que atua por nosso intermédio. Como não nos identificamos com o que produzimos, não nos perdemos no que fazemos. Estamos aprendendo que o ato da criação pode envolver energia da mais alta intensidade, mas que isso não é um "trabalho duro" nem estressante. Precisamos compreender a diferença entre estresse e intensidade, como veremos. A luta e o estresse são sinais de que o ego voltou, assim como nossas reações negativas diante de obstáculos.

A força por trás do desejo do ego cria "inimigos", isto é, a reação na forma de uma força oposta de igual intensidade. Quanto mais forte o ego, mais forte o sentido de separação entre as pessoas. As únicas ações que não causam reações opostas são aquelas que se destinam ao bem de todos. Elas são inclusivas, e não exclusivas. Unem em vez de afastar. Não são para "meu" país, mas para toda a humanidade; não são para "minha" religião, mas para o surgimento da consciência em todos os seres humanos; não são para "minha" espécie, mas para todos os seres sencientes e para toda a natureza.

Também estamos aprendendo que a ação, embora necessária, é apenas um fator secundário na manifestação da nossa realidade externa. O fator primário na criação é a consciência. Não importa quanto sejamos ativos, quanto esforço realizamos, nosso estado de consciência cria nosso mundo. Portanto, se não houver uma mudança nesse nível interior, a quantidade das ações que executamos não fará diferença. Vamos apenas recriar novas versões do mesmo mundo vezes sem conta, um mundo que é um reflexo externo do ego.

A CONSCIÊNCIA

A consciência já é consciente. Ela é o não manifestado, o eterno. O universo, porém, só está se tornando consciente pouco a pouco. A consciência em si é infinita e, portanto, não evolui. Nunca nasceu e não morre. Quando ela se transforma no universo manifestado, parece estar sujeita ao tempo e a um processo evolutivo. Nenhuma mente humana é capaz de compreender plenamente o motivo desse processo. No entanto, podemos ter um vislumbre dele dentro de nós mesmos e vivenciá-lo como participantes conscientes.

A consciência é a inteligência, o princípio organizador por trás do surgimento da forma. Ela vem elaborando formas por milhões de anos para que possa se expressar através delas no plano manifestado.

Embora o nível não manifestado da consciência pura possa ser considerado outra dimensão, ele não está separado dessa dimensão da forma. A forma e a ausência de forma se interpenetram. O não manifestado inunda essa dimensão como consciência, espaço interior, presença. Como ele faz isso? Por meio da forma humana que se torna consciente e, assim, cumpre seu destino. Ela foi criada para esse propósito superior, e milhões de outras formas prepararam o terreno para ela.

A consciência encarna na dimensão manifestada, ou seja, se torna forma. Quando faz isso, ela entra num estado semelhante ao sonho. A inteligência permanece, porém a consciência fica inconsciente de si mesma. Perde-se nas formas, identifica-se com elas. Isso poderia ser descrito como a descida do divino à matéria. Nesse estágio da evolução do universo, todo o movimento de saída acontece no estado semelhante ao sonho. Lampejos do despertar surgem apenas no momento da dissolução de uma forma individual, isto é, na morte. Em seguida, começa a encarnação seguinte, a nova identificação com a forma, o próximo sonho individual que faz parte do sonho coletivo. Quando o leão dilacera o corpo da zebra, a consciência que encarnou na forma de zebra se distancia da forma em dissolução e, por um instante, desperta para sua natureza imortal essencial como consciência. Em seguida, entrega-se imediatamente ao sono e reencarna em outra forma. Quando o leão envelhece e não consegue mais caçar, assim que dá o último suspiro, ocorre de novo o mais breve dos lampejos de um despertar, seguido por outro sonho com a forma.

No nosso planeta, o ego humano representa o estágio final do sono universal, a identificação da consciência com a forma. Foi uma etapa necessária na evolução da consciência.

O cérebro humano é uma forma altamente diferenciada pela qual a consciência entra nesta dimensão. Ele contém em torno de 100 bilhões de células nervosas (os neurônios), quase o mesmo número de estrelas que existem na nossa galáxia, e poderia ser considerado um cérebro macrocósmico. Esse órgão não cria a consciência, no entanto a consciência o criou – como a mais complexa forma física sobre a Terra – para sua expressão. Quando ele sofre um dano, isso não significa que nós perdemos a consciência, e sim que ela não consegue mais usar essa forma para entrar nesta dimensão. É impossível perdermos a consciência porque ela é, em essência, quem nós somos. Só podemos perder aquilo que temos, e não algo que somos.

A AÇÃO DESPERTA

A ação desperta é o aspecto exterior do estágio seguinte da evolução da consciência no nosso planeta. Quanto mais nos aproximamos do fim do nosso atual estágio evolucionário, maior a disfunção do ego – é uma disfunção semelhante à que ocorre com a lagarta pouco antes de se tornar borboleta. A nova consciência, contudo, está surgindo ao mesmo tempo que a antiga se dissolve.

Estamos em meio a um acontecimento da maior importância na evolução da consciência humana, entretanto esse assunto não vai sair no jornal. No nosso planeta, e talvez simultaneamente em muitas partes da nossa galáxia e além dela, a consciência está despertando do sonho da forma. Nem todas as formas (o mundo) irão se dissolver, embora seja certo que muitas desaparecerão. Isso significa que a consciência pode agora começar a criar a forma sem se perder nela. Tem como permanecer consciente de si mesma até enquanto a gera e a sente. Por que ela deveria continuar a criar e sentir a forma? Pelo prazer que essa ação proporciona. De que maneira a consciência faz isso? Por meio de seres humanos despertos que aprenderam o significado da *ação desperta*.

A ação desperta é o alinhamento do nosso propósito exterior – o que fazemos – com nosso propósito interior – despertarmos e nos mantermos despertos. Por meio dela, entramos no estado de unificação com o propósito que sai do universo. Através de nós a consciência flui para o mundo. Ela se derrama sobre nossos pensamentos e os inspira. Inunda todas as nossas realizações, as orienta e fortalece.

O que determina se estamos cumprindo nosso destino não é *o que* fazemos, e sim *como* fazemos. E essa maneira de realizar as coisas é estabelecida por nosso estado de consciência.

Uma inversão das nossas prioridades ocorre quando o propósito principal de executarmos algo se transforma na ação em si, ou melhor, na corrente de consciência que flui para ela. Esse fluxo de consciência é o que determina a qualidade. Em outras palavras: em qualquer situação e em tudo o que fazemos, nosso estado de consciência é o fator primário, enquanto a situação e o que executamos é secundário. O sucesso "futuro" é dependente e inseparável da consciência da qual emanam as ações. Ela pode ser tanto a força reativa do ego quanto a atenção alerta da consciência desperta. Toda ação verdadeiramente bem-sucedida se origina desse campo de atenção alerta, e não do ego e do pensamento inconsciente, condicionado.

AS TRÊS MODALIDADES DE AÇÃO DESPERTA

A consciência pode fluir para o que fazemos de três maneiras e, assim, por nosso intermédio, penetrar no mundo. São três modalidades que nos permitem alinhar nossa vida com o poder criativo do universo. Modalidade corresponde à frequência energética subjacente que chega às nossas ações e as conecta à consciência desperta que está surgindo no mundo. A menos que decorra de uma dessas três modalidades, qualquer coisa que façamos será marcada pela disfunção e pertencerá ao ego. As modalidades podem mudar no transcorrer do dia, e uma delas talvez seja predominante num estágio específico da nossa vida. Cada uma delas é adequada a determinadas situações.

As modalidades de ação desperta são aceitação, prazer e entusiasmo. Cada uma delas representa uma frequência vibracional da consciência. Precisamos estar atentos para garantir que uma modalidade permaneça ativa sempre que estivermos envolvidos na execução de algo – da tarefa mais simples à mais complexa. Caso não estejamos nem no estado de aceitação, nem de prazer nem de entusiasmo, é porque estamos causando sofrimento a nós mesmos e aos outros.

A ACEITAÇÃO

Embora possamos não gostar de fazer determinadas coisas, precisamos ao menos aceitar que temos de executá-las. Aceitação significa o seguinte: por enquanto, o que esta situação, este momento, requer de mim é isto, então eu o faço de boa vontade. Já tratei da importância da aceitação interior do que *acontece* – e a aceitação do que devemos fazer é apenas outro aspecto disso. Por exemplo, provavelmente você não vai gostar de trocar um pneu à noite num lugar deserto e em plena chuva, e muito menos ficará entusiasmado com essa ideia. No entanto, pode se resignar a aceitar esse fato. Praticarmos uma ação no estado de aceitação é estarmos em paz enquanto a realizamos. Essa paz é uma vibração energética sutil que, em seguida, se transfere para o que estamos fazendo. Na superfície, a aceitação parece um estado passivo, entretanto ela é ativa e criativa porque traz algo novo ao mundo. Essa paz, essa vibração energética sutil, é a consciência. E uma de suas maneiras de se revelar é através da ação abnegada, que é um aspecto da aceitação.

Caso você não consiga encontrar prazer no que vai fazer nem aceitar que deve executar isso – pare. Caso contrário, não estará assumindo a responsabilidade pela única coisa pela qual pode de fato se responsabilizar e que também é algo que importa de verdade: seu estado de consciência. E, se você não assume a responsabilidade pelo seu estado de consciência, não assume a responsabilidade pela vida.

O PRAZER

A paz que acompanha a ação resignada transforma-se numa grande animação quando gostamos de verdade do que estamos fazendo. O prazer é a segunda modalidade da ação desperta. Na nova Terra, ele substituirá o querer como a força motivadora dos nossos atos. O querer deriva da ilusão do ego de que somos um fragmento isolado que está desligado do poder que se encontra por trás de toda criação. Por meio do prazer, nos conectamos a esse poder criativo universal.

Quando tornamos o momento presente, e não o passado nem o futuro, o nosso ponto focal, a capacidade que temos de gostar do que estamos fazendo aumenta extraordinariamente e, com ela, a qualidade da nossa vida. A alegria é o aspecto dinâmico do Ser. Sempre que o poder criativo do universo está consciente de si mesmo, ele se manifesta como prazer. Não precisamos esperar que aconteça algo "significativo" para que possamos nos alegrar com o que realizamos. Existe mais significado no prazer do que podemos precisar. A síndrome de "esperar para começar a viver" é um dos erros mais comuns do estado inconsciente. A expansão e a mudança positiva no nível exterior têm muito mais probabilidade de ocorrer na nossa vida se formos capazes de sentir prazer no que já estamos empreendendo, em vez de esperarmos por uma mudança para então passarmos a gostar do que fazemos.

Não peça permissão à sua mente para apreciar o que você faz. Tudo o que obterá como resposta será uma série de motivos pelos quais não poderá sentir prazer naquilo. "Não agora. Não vê que está ocupado? Você não tem tempo. Talvez amanhã possa começar a sentir prazer...", dirá a mente. Esse amanhã nunca chegará, a não ser que você comece a sentir prazer com o que está executando agora.

Sempre que dizemos "gosto de fazer isto", na verdade estamos cometendo um equívoco. Isso dá a impressão de que o prazer vem da ação, mas não é o caso. Ele flui para o que estamos fazendo e, dessa maneira, para o mundo, partindo do nosso íntimo. O erro de pensar que o prazer tem origem naquilo que executamos é normal. Porém, é também perigoso porque cria a ideia de que ele pode ser produzido por alguma coisa ou atividade. Assim, esperamos que o mundo nos dê prazer, felicidade. Entretanto, o mundo não consegue fazer isso. É por esse motivo que muitas pessoas vivem num permanente estado de frustração. A realidade não lhes concede aquilo de que elas pensam que precisam.

Então, qual é a relação entre algo que estamos fazendo e o prazer? Sentimos prazer com qualquer atividade em que estejamos plenamente presentes, com toda ação que não seja apenas um meio para alcançarmos um fim. O que nos proporciona essa sensação não é o ato que executamos, e sim a energia vital que flui para ele. Essa animação e o que nós somos existem como uma coisa só. Isso significa que, quando temos prazer em fazer algo, estamos de fato sentindo a alegria do Ser no seu aspecto dinâmico. É por isso que tudo o que nos dá prazer nos coloca em contato com o poder que está por trás de toda criação.

Vou apresentar agora uma técnica espiritual que proporcionará mais poder e expansão criativa à sua vida. Faça uma lista das atividades cotidianas que você executa com frequência. Inclua aquelas que considera desinteressantes, chatas, entediantes, irritantes ou estressantes. No entanto, não acrescente nada que você odeia ou detesta fazer – esses são casos para aceitação ou para deixar de realizar essas ações. Da relação podem constar a ida para o trabalho e a volta para casa, a compra de mantimentos, a preparação da comida ou qualquer coisa que você considere maçante ou estressante na sua rotina diária. Depois, quando estiver executando essas atividades, permita que elas sejam um veículo para o estado de alerta. Esteja absolutamente presente no que está fazendo e sinta sua atenção, o silêncio vivo dentro de você, como o pano de fundo desse ato. Logo descobrirá que, em vez de estressante, monótona ou irritante, sua ação no estado de consciência elevada acaba se tornando agradável. Para ser mais preciso, o que lhe dá prazer não é a ação externa em si, mas a dimensão interna da consciência que flui para ela. Isso é encontrar a alegria do Ser no que você está executando. Caso sinta que não há significado na sua vida ou que ela está cheia de tensão ou tédio, é porque ainda não incorporou essa dimensão. Agir com a consciência desperta ainda não se tornou seu objetivo principal.

A nova Terra surge à medida que um número cada vez maior de pessoas vai descobrindo que seu propósito mais importante na vida é trazer a luz da consciência a este mundo e, assim, usa suas ações, sejam elas quais forem, como um veículo para a consciência.

A alegria do Ser é a alegria de estar consciente.

Então, a consciência desperta toma conta do ego e começa a conduzir nossa vida. Podemos descobrir que uma atividade em que estivemos envolvidos por um longo tempo começa a se tornar naturalmente algo bem maior quando fortalecida pela consciência.

Algumas das pessoas que, por meio da ação criativa, enriquecem a vida de muitas outras estão simplesmente fazendo aquilo de que mais gostam – não têm a intenção de alcançar nada nem de se tornar nada por meio dessa atividade. Podem ser músicos, artistas plásticos, escritores, cientistas, professores, construtores ou indivíduos que criam novas estruturas sociais ou empresariais (negócios conscientes). Há casos em que sua esfera de influência permanece restrita durante alguns anos. Depois, súbita ou gradualmente, uma onda de poder criativo flui para o que eles estão executando. Assim, sua atividade se expande ultrapassando tudo o que possam ter imaginado e atinge um número imenso de pessoas. Além do prazer, uma intensidade é agora acrescentada às suas realizações e, com ela, surge uma criatividade que supera qualquer coisa que um ser humano comum poderia empreender.

Em casos como esse, não devemos deixar que isso nos suba à cabeça porque um remanescente do ego pode estar se escondendo justamente ali. Ainda seremos um ser humano comum. O que é de fato extraordinário é o que entra no mundo por nosso intermédio. Mas essa é uma essência compartilhada por todos os seres. Hafiz, poeta persa do século XIV e mestre sufista, expressa essa verdade de forma maravilhosa: "Sou como um orifício na flauta pelo qual passa o sopro de Cristo. Ouça a música."[1]

O ENTUSIASMO

Enfim, existe outro modo de manifestação criativa que pode ocorrer àqueles que permanecem coerentes com seu propósito interior de despertar. De repente, um dia, eles ficam sabendo qual é seu propósito exterior. Têm uma grande visão, uma meta, e, dali por diante, trabalham no sentido de implementá-la. Em geral, ela costuma estar ligada de alguma maneira a algo que eles apreciam e que já estão realizando numa escala menor. É nesse ponto que entra a terceira modalidade de ação desperta: o entusiasmo.

O entusiasmo mostra que existe um profundo prazer no que fazemos e o elemento adicional de uma meta ou de uma visão em nome da qual trabalhamos. Quando acrescentamos uma meta ao prazer proporcionado por nossa ação, o campo energético ou frequência vibracional muda. Certo grau do que podemos chamar de tensão estrutural é agora acrescentado ao prazer e, assim, ele se transforma em entusiasmo. No ponto máximo da atividade criativa alimentada por esse sentimento haverá enorme intensidade e energia por trás do que executamos. Vamos nos sentir como uma flecha em direção ao alvo – e sentindo prazer no trajeto.

Aos olhos de um espectador pode parecer que estamos sob estresse contínuo, porém a intensidade do entusiasmo não tem nada a ver com tensão. Só nos estressamos quando nossa intenção de atingir a meta é maior do que a vontade que temos de fazer o que estamos realizando. Nesse caso, o equilíbrio entre prazer e tensão estrutural se perde, e esta última vence. O estresse costuma ser um sinal de que o ego voltou e, assim, nos privamos da energia criativa do universo. Em seu lugar restam apenas a força e a tensão do desejo egoico. Com isso, precisamos lutar e "trabalhar duro" para alcançar o objetivo. A tensão diminui tanto a qualidade quanto a eficácia do que executamos sob sua influência. Também existe uma forte ligação entre ela e as emoções negativas, como ansiedade e raiva. O estresse é tóxico para o organismo e vem sendo reconhecido como uma das principais causas das chamadas doenças degenerativas, entre as quais o câncer e os males cardíacos.

Ao contrário da tensão, o entusiasmo tem uma elevada frequência energética e assim vibra em consonância com o poder criativo do universo. É por isso que Ralph Waldo Emerson disse: "Nada grandioso jamais foi alcançado sem entusiasmo."[2] A palavra "entusiasmo" deriva do grego antigo – *en* e *theos*, que significa "em Deus". O termo correlato *enthousiazein* corresponde a "estar possuído por um deus". Com o entusiasmo, descobrimos que não precisamos fazer tudo sozinhos. Na verdade, não existe nada importante que *possamos* executar sozinhos. O fluir constante do entusiasmo produz uma onda de energia criativa, e tudo o que temos a fazer então é aproveitá-la.

O entusiasmo confere um imenso poder ao que realizamos, por isso todos aqueles que não buscam o acesso a essa energia poderão olhar para "nossas" conquistas com assombro e equipará-las a quem nós somos. No entanto, nós conhecemos a verdade que Jesus ressaltou quando disse: "De mim mesmo não posso fazer coisa alguma."[3] Ao contrário do querer egoico, que gera oposição em proporção direta à intensidade do seu desejo, o entusiasmo nunca produz confronto. Sua atividade não cria vencedores nem perdedores. Ele se baseia na inclusão dos outros, e não na sua exclusão. Não precisa usar nem manipular as pessoas, pois é a energia da criação propriamente dita e, assim, não tem necessidade de extrair energia de nenhuma fonte secundária. Enquanto o desejo do ego sempre tenta tirar de alguma coisa ou de alguém, o entusiasmo contribui com sua própria abundância. Quando encontra obstáculos na forma de situações adversas ou de pessoas que não cooperam, ele nunca os ataca. Ao contrário: ou os contorna ou cede ou os aceita, convertendo a energia oposta numa energia útil, o inimigo num amigo.

O ego e o entusiasmo não podem coexistir. Um implica a ausência do outro. O entusiasmo sabe para onde está indo, embora, ao mesmo tempo, esteja alinhado com o momento presente, a fonte da sua vitalidade, do seu prazer e do seu poder. Ele não "quer" nada porque não sente falta de nada. Encontra-se num estado de unificação com a vida. E, por mais dinâmicas que sejam as atividades inspiradas por ele, não nos perdemos nelas. Há sempre um espaço silencioso, mas intensamente vivo, no centro da ação, um núcleo de paz em sua essência – ele é a fonte de tudo e, ainda assim, permanece intocado pelo que quer que seja.

Por intermédio do entusiasmo entramos em completo alinhamento com o princípio criativo que emana do universo, sem, contudo, nos identificarmos com suas criações, isto é, com o ego. Quando não existe identificação, não existe vínculo – uma das maiores causas do sofrimento. Depois da passagem de uma onda de energia criativa, a tensão estrutural diminui novamente, enquanto nosso prazer com o que estamos fazendo permanece. Ninguém pode viver num estado permanente de entusiasmo. Uma nova onda de energia criativa poderá surgir mais tarde e produzir um entusiasmo renovado.

Quando o movimento de retorno direcionado à dissolução da forma se estabelece, o entusiasmo não nos serve mais, pois ele pertence ao ciclo de crescimento e expansão da vida. É apenas pela resignação que conseguimos nos alinhar com o movimento de retorno – a jornada de volta ao nosso lar.

Resumindo: o prazer com aquilo que realizamos, combinado a uma meta ou visão para a qual trabalhamos, transforma-se em entusiasmo. Embora tenhamos um objetivo, o que estamos fazendo no momento presente tem que permanecer como o ponto focal da nossa atenção. Caso contrário, não estaremos mais em sintonia com o propósito universal.

Não deixe que sua visão ou meta seja uma imagem inflada de si mesmo e, portanto, uma forma disfarçada do ego, como querer tornar-se uma celebridade do cinema ou da televisão, um escritor famoso ou um empreendedor milionário. Procure também se assegurar de que sua meta não esteja concentrada em *ter* alguma coisa, como uma mansão de frente para o mar, sua própria empresa ou uma fortuna no banco. Uma autoimagem exacerbada ou uma visão de si mesmo como alguém que *tem* isso ou aquilo são propósitos estáticos e, portanto, não lhe dão poder. Em vez disso, torne seus objetivos dinâmicos, isto é, voltados para uma *atividade* em que você esteja envolvido e pela qual se ligue a outros seres humanos, assim como ao todo. Em lugar de se ver como alguém famoso, imagine que seu trabalho está sendo a fonte de inspiração para um grande número de pessoas e enriquecendo a vida delas. Observe como essa atividade aprimora ou aprofunda não apenas sua vida como a de muita gente. Sinta-se como uma abertura pela qual a energia flui da Origem não manifestada para toda a vida em benefício de todos.

Tudo isso requer que sua meta ou visão já seja uma realidade dentro de você, no nível da mente e do sentimento. O entusiasmo é o poder que transfere o projeto mental para a dimensão material. Esse é o uso criativo da mente, e é por isso que, nesse caso, não há envolvimento do querer. Você não pode manifestar o que quer, só é capaz de expressar o que já tem. Embora possa conseguir o que deseja por meio de muito trabalho e estresse, essa não é a maneira de ser da nova Terra. Jesus nos deu a chave para o uso criativo da mente e para a manifestação consciente da forma quando disse: "Por isso vos digo: tudo o que pedirdes na oração, crede que tendes recebido, e ser-vos-á dado."[4]

OS DOADORES DE FREQUÊNCIA

O movimento de saída que se direciona à forma não se expressa com igual intensidade em todos nós. Algumas pessoas têm uma forte ânsia de construir, criar, envolver-se, conquistar, exercer uma influência sobre o mundo. Se elas estiverem inconscientes, o ego irá, é claro, controlar e usar a energia do ciclo de saída para seus próprios interesses. Isso, porém, reduz de modo significativo o fluxo de energia criativa disponível para elas. Assim, cada vez mais, dependerão do "esforço" para conseguir o que querem. Caso estejam conscientes, esses indivíduos em que o movimento de saída é forte serão altamente criativos. Outros, porém, levarão uma existência aparentemente discreta e passiva depois que a expansão natural que acompanha o crescimento tiver seguido seu curso.

Essas pessoas são mais introvertidas por natureza. No seu caso, o movimento de saída que se direciona à forma é mínimo. Elas preferem voltar para casa a sair. Não alimentam nenhum desejo de mudar o mundo nem de se envolver nessa questão. Se têm alguma ambição, essa normalmente se reduz a encontrar uma ocupação que lhes proporcione certo grau de independência. Algumas delas acham difícil se encaixar neste mundo. Outras têm sorte o bastante para encontrar um nicho protetor onde conseguem levar a vida com relativa segurança, realizando um trabalho que lhes provê um rendimento regular ou administrando um pequeno negócio próprio. Há as que se sentem atraídas a viver numa comunidade espiritual ou num mosteiro. Outras podem se tornar desajustadas e viver à margem da sociedade por acharem que têm pouco a ver com ela. Existem as que se voltam para as drogas porque acreditam que viver neste mundo é doloroso demais. Por fim, há as que acabam se tornando agentes de cura ou mestres espirituais, isto é, mestres do Ser.

Em épocas passadas, talvez essas pessoas fossem chamadas de contemplativas. Na civilização contemporânea parece não existir um lugar para elas. Na nova Terra que está surgindo, seu papel, contudo, é tão importante quanto o dos criadores, realizadores e reconstrutores. Sua função é portar a frequência da nova consciência neste planeta. Eu as chamo de doadores de frequência. Elas estão aqui para gerar a consciência por meio de atividades da vida diária, das suas interações com os outros e do fato de "simplesmente existirem".

Dessa maneira, elas dotam de um profundo sentido aquilo que parece insignificante. Sua tarefa é trazer o amplo silêncio para este mundo, mantendo-se totalmente presentes em qualquer coisa que façam. Por causa dessa consciência há qualidade em suas realizações, até mesmo na mais simples tarefa. Seu propósito é fazer tudo de maneira sagrada. Como cada indivíduo é uma parte integrante da consciência coletiva humana, elas afetam o mundo com muito mais intensidade do que mostra a superfície de suas vidas.

A NOVA TERRA NÃO É UMA UTOPIA

Será que a noção de uma nova Terra não passa de mais uma visão utópica? De maneira nenhuma. Todas as utopias têm isto em comum: a projeção mental de um tempo futuro em que tudo ficará bem, seremos salvos, haverá paz e harmonia e nossos problemas terão terminado. Houve muitas expectativas dessa natureza. Algumas delas terminaram em decepção; outras, em desastre.

No centro de todas as visões utópicas se encontra uma das principais disfunções estruturais da velha consciência: buscar a salvação no futuro. A única existência que o futuro tem de verdade é como uma forma de pensamento. Portanto, nesse caso, estamos procurando inconscientemente a salvação na nossa própria mente. Assim, permanecemos presos à forma, e ela é o ego.

"Vi, então, um novo Céu e uma nova Terra",[5] escreve o profeta bíblico. O fundamento para uma nova Terra é um novo Céu — a consciência desperta. A Terra — realidade externa — é apenas seu próprio reflexo exterior. O surgimento de um novo Céu e, por implicação, de uma nova Terra não é um acontecimento futuro que irá nos libertar. Nada nos *libertará* porque apenas o momento presente pode fazer isso. Essa percepção é o despertar. Como evento futuro ele não tem significado porque é a própria manifestação da presença. Assim, o novo Céu, a consciência desperta, não é um estado futuro a ser atingido. Um novo Céu e uma nova Terra estão surgindo dentro de nós neste momento e, se isso ainda não estiver acontecendo, é porque eles não passam de um pensamento na nossa cabeça e, portanto, não se estabelecerão mesmo. O que disse Jesus aos seus discípulos? "O reino de Deus já está dentro de vós."[6]

No Sermão da Montanha, Jesus faz uma predição que até hoje é entendida por poucos. Ele diz: "Bem-aventurados os mansos, porque possuirão a Terra."[7] Nas versões modernas da Bíblia, a palavra "mansos" é traduzida como "humildes". Quem são os mansos, ou os humildes, e o que significa o fato de que eles possuirão a Terra?

Os mansos são os que não têm ego. Aqueles que despertaram para sua verdadeira natureza essencial como consciência e a reconhecem em todos os "outros", em todas as formas de vida. Vivem no estado de rendição e, assim, sentem que são um só com o todo e com a Origem. Eles incorporam a consciência desperta que está mudando todos os aspectos da vida no nosso planeta, incluindo a natureza, porque a vida na Terra é inseparável da consciência humana que percebe e interage com ela. Esse é o sentido de "os mansos possuirão Terra".

Uma nova espécie está surgindo no planeta. Ela está surgindo agora, e você faz parte dela!

NOTAS

CAPÍTULO UM
1. Apocalipse 21:1 e Isaías 65:17

CAPÍTULO DOIS
1. Lucas 6:29
2. Mateus 5:3
3. Filipenses 4:7

CAPÍTULO TRÊS
1. Lucas 6:41
2. João 14:6
3. Halevi, Yossie K., "Introspective as a Prerequisite for Peace", *New York Times*, 7 de setembro de 2002.
4. Departamento de Justiça dos Estados Unidos, Bureau of Justice Statistics, estatísticas prisionais, junho de 2004.
5. Einstein, Albert. *Como vejo o mundo*. 27ª ed. Rio de Janeiro: Nova Fronteira, 2005.

CAPÍTULO QUATRO
1. Shakespeare, William, *Macbeth*. São Paulo: Martin Claret, 1996.
2. Shakespeare, William, *Hamlet*. Porto Alegre: L&PM Editores, 1997.

CAPÍTULO SEIS
1. Mateus 5:48

CAPÍTULO SETE

1. Lucas 6:38
2. Marcos 4:25
3. I Coríntios 3:19
4. Tzu, Lao, *Tao Te Ching*, capítulo 28
5. Ibid., capítulo 22
6. Lucas 14:10-11
7. *Kena Upanishad*

CAPÍTULO OITO

1. Eclesiastes 1:8
2. *Um curso em milagres*. Trad. de Lilan Sales de Oliveira Paes. 2ª ed. Glen Ellen, Califórnia: Foundation for Inner Peace, 1994.
3. Lucas 17:20-21
4. Nietzsche, Friedrich. *Assim falou Zaratustra*. São Paulo: Martin Claret, 2006.
5. Gênesis 2:7

CAPÍTULO NOVE

1. João 5:30 e João 14:10
2. Mateus 6:28-29

CAPÍTULO DEZ

1. Hafiz. *The Gift*. Nova York: Penguin, Arkana, 1999.
2. Emerson, Ralph Waldo. "Circles" in *Ralph Waldo Emerson: Selected Essays, Lectures, and Poems*. Nova York: Bantam Classics.
3. João 5:30
4. Marcos 11:24
5. Apocalipse 21:1
6. Lucas 17:21
7. Mateus 5:5

CONHEÇA OUTROS TÍTULOS DO AUTOR

O poder do Agora

Nós passamos a maior parte de nossas vidas pensando no passado e fazendo planos para o futuro. Ignoramos ou negamos o presente e adiamos nossas conquistas para algum dia distante, quando conseguiremos tudo o que desejamos e seremos, finalmente, felizes.

Mas, se queremos realmente mudar nossas vidas, precisamos começar neste momento. Esta é mensagem simples, mas transformadora de Eckhart Tolle: viver no Agora é o melhor caminho para a felicidade e a iluminação.

Combinando conceitos do cristianismo, do budismo, do hinduísmo, do taoismo e de outras tradições espirituais, Tolle elaborou um guia de grande eficiência para a descoberta do nosso potencial interior.

Praticando o poder do Agora

Com trechos cuidadosamente selecionados de *O poder do Agora*, esse livro serve como uma excelente introdução aos ensinamentos do autor, além de mostrar, de forma objetiva, práticas específicas e chaves que revelam como descobrir e alcançar "a graça, o bem-estar e a iluminação". Basta acalmar os pensamentos e olhar, no momento presente, o mundo diante de nós.

Ele pode nos conduzir a um lugar de grande serenidade, acima dos nossos pensamentos, um lugar em que os problemas criados por nossas mentes se dissolvem e onde descobrimos o que significa criar uma vida de liberdade.

O poder do silêncio

Eckhart Tolle, um dos maiores fenômenos da literatura espiritual, nos mostra a importância de silenciar os pensamentos e reencontrar nossa sabedoria interior para viver mais intensamente o momento atual. O poder transformador do silêncio está em nos libertar de nossos pensamentos, medos e desejos, dissipando as tensões do passado e as expectativas em relação ao futuro. Seguindo a tradição dos sutras indianos, Tolle nos transmite seus ensinamentos em forma de aforismos. São 200 textos curtos e inspiradores que abordam diversos temas, entre eles o Agora, os relacionamentos, a morte e a eternidade.

CONHEÇA OS LIVROS DE ECKHART TOLLE

Um novo mundo: o despertar de uma nova consciência

O poder do Agora

Praticando o poder do Agora

O poder do silêncio

O poder do Agora – reflexões

Para saber mais sobre os títulos e autores da Editora Sextante,
visite o nosso site e siga as nossas redes sociais.
Além de informações sobre os próximos lançamentos,
você terá acesso a conteúdos exclusivos
e poderá participar de promoções e sorteios.

sextante.com.br